SIMONE DE BEAUVOIR

AUJOURD'HUI

ALICE SCHWARZER

Simone de Beauvoir
aujourd'hui

ENTRETIENS

*Introduction, entretiens deux, cinq et six
traduits de l'allemand par Léa Marcou*

MERCURE DE FRANCE
MCMLXXXIV

Simone de Beauvoir heute

Édition originale
© 1983 by Rowohlt Verlag GmbH.
Reinbeck bei Hamburg.
ISBN 3-498-06161-5

Traduction française
© 1984 by Mercure de France, Paris.
26, rue de Condé, 75006 Paris.
ISBN 2-7152-0180-X
Imprimé en France.

Ces entretiens avec Alice Schwarzer se sont déroulés entre le début de 1972 et septembre 1982 : dix ans. Grâce à notre amitié féministe et personnelle, elle était à même de me poser les questions qui m'intéressaient et j'ai pu lui répondre tout à fait librement. Ces conversations sont donc un témoignage très exact sur mon attitude à l'égard du féminisme pendant le laps de temps où elles ont eu lieu : attitude qui est encore la mienne aujourd'hui. A vrai dire, à partir du moment – 1970 – où je me suis engagée dans ce qu'on appelait alors le nouveau féminisme, mes idées n'ont guère changé. Cependant elles ont pu légèrement se modifier sous l'influence de la pratique féministe : mes rapports avec les autres femmes, les lettres que j'ai reçues d'elles, les actions auxquelles j'ai participé. Il est bon, je crois, que la pensée soit guidée par l'expérience vécue : en tout cas, c'est le chemin que j'ai suivi. Il faut donc lire ces interviews en en respectant l'ordre chronologique, certaines corrections s'étant produites en cours de route. J'y parle essentiellement de mes positions féministes.

Mais Alice Schwarzer nous ayant interrogés, Sartre et moi sur nos rapports, j'ai cru bon d'en parler. Certaines féministes nient qu'on puisse mener la même lutte qu'elles si on est étroitement liée à un homme : je ne suis pas de cet avis et j'ai voulu dire comment, du moins en ce qui me concerne, la conciliation avait été possible. Je suis contente que ce petit livre paraisse aujourd'hui en France parce qu'il aidera mon public à mieux me connaître et, j'espère, à mieux comprendre une cause à laquelle je suis profondément attachée.

SIMONE DE BEAUVOIR
Paris, septembre 1983

Introduction

Notre première rencontre eut lieu en mai 1970, à Paris. L'entrevue ne fut pas précisément chaleureuse. Côté Simone de Beauvoir. Et elle fut l'effet du hasard. Car en réalité j'étais venue pour Sartre. C'était l'époque de ce que l'on a appelé le « mini-mai » parisien de 1970. Des journées – des semaines – marquées par de scandaleux procès politiques devant la Cour de Sûreté de l'État (une instance paramilitaire qui ne sera abolie qu'après l'arrivée des socialistes au pouvoir). Sur le banc des accusés, essentiellement des maoïstes, enfants du Mai 68, qui avaient concentré leur action politique sur les usines et les bidonvilles. Servant de catalyseur lors des troubles sociaux et des conflits du travail, durs et souvent violents, qui agitaient le pays, ils jouaient, en ces années-là, un rôle politique non négligeable. Les occupations d'usine avec prises d'otages de contremaîtres ou de cadres étaient à l'ordre du jour. La riposte du régime ne s'était pas fait attendre : on perfectionna l'appareil policier, et on modifia la législation – l'occupation d'usine avec prise d'otages devint possible de la

« perpétuité ». Les agitateurs, ces jeunes intellectuels qui étaient allés dans les usines et les banlieues, furent arrêtés et poursuivis. Certains passèrent dans la clandestinité. Les procès contre les « maos » les plus célèbres déclenchèrent de vives polémiques dans l'opinion publique. Des combats de rue opposèrent manifestants et policiers.

J'étais, à cette époque, correspondante de médias allemands à Paris. Les retombées de Mai 68, et surtout les conflits sociaux et du travail, constituant à la fois mon principal centre d'intérêt et mon terrain de travail privilégié. L'une des questions qui nous paraissaient cruciales à l'époque, aussi bien en France qu'en Allemagne, était celle de la « violence révolutionnaire » : le « droit de résistance » existe-t-il, et, si oui, jusqu'où peut aller la « contre-violence » ?

En cette période, Jean-Paul Sartre sympathisait ouvertement avec les maoïstes. Se faisait leur bouclier, leur agitateur. Assumait la responsabilité légale de leur journal, *La Cause du Peuple*. Distribuait ostensiblement des tracts devant chez Renault. Prononçait, lors des procès politiques, des dépositions très remarquées, dont les critiques mettaient le gouvernement mal à l'aise. A l'occasion d'un de ces procès, il avait accepté de me donner une interview sur la violence révolutionnaire.

Et me voici donc dans son studio du boulevard Raspail. Il m'a accordé trente minutes. Du concentré d'interview. Peu avant la fin, une clé tourne dans la serrure, la porte s'ouvre. Simone de Beauvoir entre, me jette un regard bref, irrité, et en quelques mots secs, presque abrupts, rappelle à Sartre qu'ils sont attendus tous deux à une conférence de presse. Elle va s'asseoir au bureau de Sartre, dans le fond de la pièce. Toute son attitude exprime l'impatience. Je la sens en colère, et je ne sais où me mettre. C'est mon premier contact avec la fameuse « tête de chameau »[1] de Simone de Beauvoir – à savoir sa mine glaciale quand quelqu'un ou quelque chose lui déplaît. C'est, je le comprendrai plus tard, un caractère très absolu. En contrepartie, une fois qu'elle a donné son amitié, il en faut beaucoup pour qu'elle la reprenne.

L'entretien terminé, nous nous entassons tous les trois dans l'ascenseur exigu. Mes timides tentatives pour nouer conversation avec Simone de Beauvoir tombent piteusement à l'eau.

Tant pis. Je vis néanmoins un moment d'intense émotion. J'ai devant moi, en chair et en os, l'auteur du *Deuxième Sexe,* ce « phare que Simone de Beauvoir a allumé pour guider les femmes de cette seconde moitié du siècle », selon la formule d'une consœur. Et c'est peu dire. Dans la nuit où nous étions plongées en ces années 50 et 60, avant la naissance du nouveau Mouvement des Femmes, ce livre a été comme une espèce de code secret que nous, les femmes en voie d'éveil, nous transmettions de l'une à l'autre. Et la personne de Simone de Beauvoir, la somme de sa vie et de son œuvre, était – et demeure – un symbole : symbole de la possibilité, malgré tout, même pour une femme, de mener sa vie avec une large

1. En français dans le texte. (N.d.T.)

part d'autodétermination, au-delà des préjugés et des conventions.

Dans les mois suivant ces semaines de mai 1970, les événements politiques se précipitèrent. Au cours de l'été se constituèrent les premiers collectifs de femmes. Je les rejoignis en septembre. Et au printemps, le mouvement de libération des femmes lança une campagne spectaculaire en faveur de la légalisation de l'avortement. 343 femmes – certaines d'entre elles célèbres – déclarèrent publiquement : « J'ai avorté, et je réclame ce droit pour toutes les femmes. » Simone de Beauvoir en faisait partie.

Quelques mois plus tôt, pourtant, la première publication d'un collectif de féministes françaises *(L'an zéro)* n'avait rien eu de plus pressé que de la clouer au pilori, l'accusant de faire « une fixation sur Sartre » et, qui plus est, d'écrire dans une « revue d'hommes » *(Les Temps Modernes)*. Elle s'en souvient aujourd'hui encore : « Ça m'a rendue assez furieuse. »

Mais, en même temps, plusieurs femmes du mouvement étaient venues lui demander de le rejoindre. Et elle accepta. Tout naturellement, sans aucune réserve. Pour nous les féministes, c'était non seulement un soutien précieux, mais encore une confirmation, un encouragement très motivant.

Par la suite, tout au long des années, elle n'a jamais refusé son appui aux femmes avec qui elle travaillait sur le plan politique et en qui elle avait confiance sur le plan humain. De même que Sartre était devenu le

« compagnon de route » [1] d'une partie de l'extrême-gauche, Simone de Beauvoir le fut pour les féministes du courant radical du mouvement. Elle a permis – elle permet toujours – d'utiliser son nom pour des opérations de provocation politique, elle participe à des actions, lance des idées (ainsi, elle est à l'origine de la création, en 1974, de la Ligue des Droits de la Femme – dont elle est aujourd'hui encore la présidente – à l'exemple de la Ligue des droits de l'homme).

Fin 1970, je joignis le groupe de femmes qui travaillaient avec elle sur le plan politique. L'une des nombreuses activités du mouvement consistait à mettre sur pied un réseau de lieux d'avortement clandestin, et à introduire en France la méthode par aspiration, non mutilante. Il n'était nullement certain, à cette époque, que le gouvernement Pompidou ne se montrerait pas aussi répressif envers les féministes qu'envers les maoïstes par exemple. Nous avions donc pris des mesures de sécurité : les premiers avortements furent pratiqués dans les appartements de « personnalités », afin de donner à un éventuel scandale le maximum de retentissement. Simone de Beauvoir n'avait pas hésité un instant à mettre son appartement à notre disposition.

Nous avions déclenché – surtout avec cette campagne concernant l'avortement – une formidable tempête, dont l'ampleur nous surprit nous-mêmes. Le mouvement féministe avait démarré avec quelques douzaines d'activistes. Dès l'automne 1970, ses militantes se comptaient, rien

1. En français dans le texte. (N.d.T.)

qu'à Paris, par centaines. Très vite, elles devinrent, dans les années 1970-1971, une force politique avec laquelle, d'un bout à l'autre de l'échiquier, de l'establishment aux alternatifs, on savait devoir compter. La marche du 11 novembre (1971) pour réclamer le droit à l'avortement rassembla entre 3 000 et 4 000 femmes. Simone de Beauvoir était là, évidemment.

Nous commençâmes aussi, à cette époque, à préparer le « Tribunal » [1], les Journées de dénonciation des crimes contre les femmes, que le mouvement projetait de tenir en février 1972 à Paris, à la Mutualité. Une poignée de femmes – dont Simone de Beauvoir – en assumait la conception et l'organisation. Il apparut petit à petit que le choix des contacts noués par Beauvoir au sein du MLF [2] – dont les militantes, au départ, provenaient d'horizons politiques très divers – n'était nullement dû au hasard : il s'agissait toujours – comme aujourd'hui encore – de femmes s'appuyant sur une analyse matérialiste de la situation des femmes (et du monde), et refusant absolument de croire en une « nature féminine » (humaine). Des femmes comme, par exemple, Anne Zelensky, une de ses collaboratrices à la Ligue des Droits de la Femme, Christine Delphy, éditrice de *(Nouvelles) Questions Féministes,* une revue consacrée à la théorie

1. En français dans le texte. (N.d.T.)
2. Lorsque Alice Schwarzer emploie le terme MLF – sans point séparant les lettres – il ne s'agit pas du mouvement M.L.F., sigle déposé. Elle l'utilise tantôt pour désigner le mouvement féministe au sens large, tantôt dans un sens restreint, pour désigner les « féministes révolutionnaires », le groupe avec lequel Simone de Beauvoir va travailler.

du féminisme; ou encore le groupe qui, depuis des années, rédige avec elle la rubrique du « sexisme ordinaire » [1] dans *les Temps Modernes.*

Nous gardons toutes un très vif souvenir de la Beauvoir de l'époque. Au début, nous la traitions avec un mélange de respect et d'insolence. Ensuite, avec beaucoup d'affection, tout simplement. Elle arrivait toujours aux réunions à l'heure pile (le manque de ponctualité est l'une des choses qu'elle abhorre), n'avait jamais une minute à perdre, parlait avec lucidité, clarté, et un stimulant mépris de toutes les conventions – on n'allait jamais trop loin, à ses yeux. Et se montrait parfois, dans ses attitudes, touchante de bonne éducation. La manière dont elle tenait son sac à main, bien serré contre ses genoux...

C'était la période du plein essor. A nos yeux, tout était possible. Le travail politique nous enivrait, remplissait notre vie entière. Nos soirées se passaient en réunions, actions, discussions... et agapes. Ces « bouffes » [2] avec Simone de Beauvoir étaient très vite devenues l'une de nos plus chères habitudes. On se réunissait – généralement à 6 ou 8 – chez l'une ou l'autre, on faisait la cuisine à tour de rôle (sauf elle, elle a horreur de ça). On faisait la fête, on buvait, on riait, on échafaudait des projets.

C'est au cours de l'une de ces « bouffes » que naquit l'idée de ma première interview de Simone de Beauvoir. Elle avait une double motivation. Premièrement, il me paraissait important de faire connaître au grand public

1. En français dans le texte. (N.d.T.)
2. En français dans le texte. (N.d.T.)

la « conversion » de l'auteur du *Deuxième Sexe* au féminisme (par rapport auquel elle avait pris ses distances,
ayant exprimé à maintes reprises sa conviction que le
socialisme résoudrait automatiquement la question des
femmes). Deuxièmement, nous avions tout simplement
besoin d'argent pour la location de la Mutualité. La salle
coûtait 10 000 francs pour un week-end. Nous en avions
réuni 8 000. Manquaient 2 000. La vente de l'interview
au *Nouvel Observateur* nous les apporta.

Ce fut une interview historique. Elle parut début 1972,
c'est-à-dire au moment où, dans tous les pays occidentaux, les mouvements des femmes naissants, affirmant
obstinément leur spécificité, entraient en conflit avec la
gauche, dont nombre de leurs militantes étaient issues.

Voici donc que Simone de Beauvoir proclame haut et
fort : « Je suis féministe. » Affirmant par là qu'elle croit
en la nécessité d'un mouvement des femmes spécifique,
autonome, et critiquant du même coup les partis politiques, ceux des pays socialistes comme ceux des pays
capitalistes. L'interview a été traduite en beaucoup de
langues – même en japonais – et a circulé en « édition
pirate » dans nombre de groupes de femmes.

Un an plus tard, je mis en chantier un portrait de
Simone de Beauvoir pour la première chaîne de télévision
allemande (en ma qualité de correspondante, je travaillais principalement pour la radio et la télévision de la
République Fédérale). En dépit de son côté méticuleux,
tracassier – digne d'une administration tatillonne – le
tournage amusa Simone, car le média l'intéressait. C'est
une cinéphile passionnée. L'entretien (le deuxième de ce

livre) où elle et Sartre répondent à des questions concernant leur relation est extrait de cette émission. Il fut réalisé à Rome en septembre 1973. Et, à ma connaissance, il s'agit de la seule interview où ils évoquent ensemble les règles du jeu de ce qui a incarné pour des générations – et incarne encore – le modèle d'un amour vécu dans le respect de la liberté des deux partenaires. Ces journées romaines ont vu naître notre amitié, par-delà le travail politique et journalistique. Je me souviens surtout de nos longues soirées aux terrasses des cafés, où tous les trois, Sartre, Beauvoir et moi, cassions allégrement du sucre sur le dos de l'univers entier. Parmi toutes les choses qui nous rapprochaient, il y avait aussi le goût des cancans...

Bref intermède dans le travail politique qui, à Paris, se poursuivait. Campagnes de protestations marquées par des actions et de l'agitation féministe. Un travail tous azimuts... Simone de Beauvoir, quant à elle, se montrant toujours partisan d'une double stratégie : mener de front l'action légale et l'action illégale. Il est un point, cependant, qu'elle n'a jamais remis en question : sa décision – récusant les partis politiques – d'agir uniquement en dehors d'eux.

Elle était – elle demeure – incorruptible. Elle a toujours percé à jour, et su tourner en dérision, les nombreuses tentatives de récupération du mouvement des femmes et de sa propre personne. Par exemple, à propos de l'Année de la Femme, elle déclare (dans notre troisième entretien, mené en 1976) : « Ensuite, il y aura l'Année de la Mer, puis celle du Cheval, du Chien et ainsi de suite... On nous considère, nous autres femmes, comme des objets, ne valant pas la peine, dans ce monde d'hommes, d'être pris au sérieux plus d'une année.» Et elle ne cesse de rappeler les points essentiels de son expérience et de son analyse politiques, de mettre en garde contre la réapparition, qui se dessine à partir de la mi-décennie 70, d'une mythification de la maternité et la croyance en une « nature féminine » : « Comme on ne peut pas dire aux femmes : " c'est une tâche sacrée de récurer les casseroles ", on leur dit " c'est une tâche sacrée d'élever un enfant ".»

Comme d'habitude, ses déclarations, surtout celles concernant la maternité, soulevèrent des tempêtes de protestations. Une avalanche de lettres de femmes du monde entier – certaines écrivent même à son domicile – lui reprochent d'en vouloir à celles qui ont des enfants, d'être frustrée, l'adjurent de ne pas tout mettre dans le même sac... Tous ceux qui sont incapables de supporter la rigueur et le refus des compromis d'une Simone de Beauvoir – dans sa pensée comme dans sa vie – sont bien décidés à la comprendre de travers.

Combien de fois n'a-t-elle pas été sommée de répondre à la question : N'avoir jamais été mère ne vous prive-t-il pas de quelque chose de fondamental?... A-t-on jamais demandé à Sartre si, faute d'avoir connu la paternité, il se sentait un être humain incomplet? C'est pourquoi l'on perçoit dans certaines de ses déclarations sur la maternité une pointe d'agacement bien compréhensible, à côté de sa sainte colère contre l'aveuglement et les tentatives de manipulation dans un problème aussi crucial.

Que dit Simone de Beauvoir à propos de la maternité? Qu'elle n'est pas la mission essentielle de la vie d'une femme. Que la capacité biologique (de mettre des enfants au monde) n'entraîne pas obligatoirement le devoir social de maternité (les élever). Que la maternité n'est pas en soi un acte créatif. Que, dans les conditions de vie actuelles, elle réduit souvent les femmes à un véritable esclavage, les enchaîne à la maison et/ou à ce rôle. Que, pour toutes ces raisons, il faut contester l'idéologie de la maternité, la division du travail en tâches masculines et féminines. Et encore que ce sont les hommes qui ont inventé et attribué aux femmes ce « rôle maternel », base même de cette division du travail. Rôle nullement inné, mais inculqué par l'éducation. « On exploite les femmes, et elles se laissent exploiter au nom de l'amour », dit Simone de Beauvoir. Elle parle d'or. C'est aussi vrai aujourd'hui qu'hier. La mythification de la maternité est le noyau du mythe de la féminité. Dès 1976, il nous a paru important à toutes deux de renouveler les mises en garde (voir le troisième entretien publié dans ce volume) contre la renaissance de « l'éternel féminin ». Simone de Beauvoir critique durement, une fois de plus, l'idée d'une « altérité », voire d'une « supériorité », des femmes. « Ce serait du biologisme le plus rétrograde, en contradiction totale avec tout ce que je pense. Quand les hommes nous disent : " Mais restez donc sagement des femmes; laissez-nous toutes ces choses assommantes : le pouvoir, les honneurs, les carrières... Contentez-vous d'être là, liées à la terre, occupées de tâches humaines... " Quand on nous dit ça, c'est très dangereux!»

Depuis lors, la situation n'a fait qu'empirer. Les temps deviennent de plus en plus durs, et la tentation de se réfugier dans l'illusion mortelle de l'éternel féminin va croissant. La crise économique mondiale et la réaction machiste – universellement répandue, elle aussi – ont leurs retombées sur les femmes. Le dernier des entretiens recueillis dans ce livre, réalisé en septembre 1982 et peut-être le plus personnel par son contenu comme par son ton, revient sur ces dangers et en montre la brûlante actualité. Simone de Beauvoir s'y révèle une fois de plus l'une des voix de femme les plus honnêtes et les plus radicales de notre époque.

Celle qui demeure la principale théoricienne du nouveau féminisme associe son analyse actuelle de la situation et son expérience personnelle : elle rappelle la tempête, si révélatrice, déclenchée en 1949 par la parution de son essai *le Deuxième Sexe,* et montre la persistance des vieux stéréotypes.

La veille de son soixante-dixième anniversaire – donc en janvier 1978 – je l'ai interrogée sur son propre « 3ᵉ âge ». Et l'auteur de *la Vieillesse* (un ouvrage, à mes yeux, comparable au *Deuxième Sexe* par sa profondeur et sa radicalité visionnaire) manifeste, dans cet entretien, l'un de ses traits de personnalité à mon avis les plus caractéristiques : Simone de Beauvoir n'est pas du genre à s'appesantir sur elle-même. Elle a écrit un ouvrage exhaustif sur le vieillissement mais, s'agissant de sa propre expérience, elle ne paraît pas capable d'en dire beaucoup plus que des tas d'autres gens. Un trait de caractère qui, chez elle, constitue probablement non seulement une barrière, mais aussi une protection – conférant à sa force morale bien connue une teinte d'ingénuité.

Simone de Beauvoir septuagénaire reste ce qu'elle a toujours été : passionnée par la littérature et la politique, grande voyageuse, entourée d'un cercle d'amis, peu nombreux mais fidèles, qui sont sa « famille ». « Jusqu'à ma mort, je ne serai jamais seule », dit-elle. Et elle a probablement raison. Sartre, qui fut pendant plus d'un demi-siècle l'être humain qui comptait le plus dans sa vie, a disparu au printemps 1980, mais elle n'est pas solitaire.

Le choc de la mort de Sartre, elle ne l'a pas oublié, mais elle y a survécu. La réflexion étant pour elle un soutien puissant. Dans son dernier livre, *la Cérémonie des adieux,* elle se confronte avec son deuil et rend un dernier et grand hommage à son compagnon : elle décrit, avec une précision dénuée de sentimentalisme mais tout imprégnée de tendresse, les dernières années de la vie de Sartre. Ose parler de la maladie et de la mort. Et elle publie des entretiens qu'ils eurent à cette période sur la littérature – des textes magnifiques, vivants, sans aucun pédantisme.

Ce livre, lui aussi, a fait scandale. A-t-on le droit de montrer un grand homme dans cet état, dans sa faiblesse, en proie à la maladie? On en a le devoir, affirme Simone de Beauvoir. Car on ne peut séparer l'un de l'autre.

Tout le livre témoigne de sa discrétion, de sa réserve presque farouche. Sitôt que, dans leurs dialogues, Sartre l'interpelle, parle d'elle, elle l'interrompt : « Ne parlons pas de moi. Il s'agit de vous. » Une discrétion qui va de pair avec une volonté indomptable. Simone de Beauvoir jugeant Simone de Beauvoir : « Dans toute mon existence, je n'ai rencontré personne qui fût aussi doué que moi pour le bonheur, personne non plus qui s'y acharnât avec tant d'opiniâtreté » (*la Force de l'âge,* Gallimard, p. 32).

Ce bonheur, il ne lui est nullement tombé du ciel. Elle se l'est construit. Avec courage, et un labeur acharné. Elle évoque dans ses *Mémoires* les journées passées dans une oasis algérienne. Le thermomètre accusait 40° à l'ombre. Et que faisait Simone de Beauvoir? « Je travaillais », écrit-elle laconiquement.

On parle de son intelligence, de son énergie. Il ne faudrait pas oublier sa beauté. Elle est l'une des rares femmes – sinon la seule – que je connaisse à avoir conquis le droit à l'intelligence *et* à la beauté, à l'énergie *et* à la sensualité. L'une de ses anciennes élèves, Sarah Hirschman, se la rappelle jeune professeur à Marseille : « Elle apparut en corsage de soie lilas et jupe plissée. Jeune, sa chevelure noire relevée et maintenue par des peignes, contrastant avec ses yeux clairs, transparents, aux paupières ombrées de fard bleu. Pendant des années, nous avions eu pour professeurs des femmes à chignon, raides, sans âge. Mlle de Beauvoir nous parut d'un incroyable glamour. »

Simone de Beauvoir, l'une des rares philosophes femmes de notre temps, a fait œuvre de pionnier comme théoricienne, s'est distinguée comme journaliste. Comme écrivain, elle est reconnue aussi bien par la critique que par le grand public, qui a dévoré ses romans et ses *Mémoires*. Un beau bilan. Et pourtant il manque, dans cette liste, un élément primordial : sa vie. Sa vie, ou sa pensée et ses écrits en actes. Et là, à mon avis, réside le secret de la fascination qu'elle exerce sur nous, de sa singularité : ce perpétuel mouvement d'aller-retour et cette concordance de la parole et de l'action. Sa vie est son œuvre.

Une femme qui décide de ne plus accepter mais de prendre, au mépris de toutes les conventions, en dépit de toutes les résistances. Elle ne se marie pas – et pourtant elle vit un grand et fidèle amour. Elle n'a pas d'enfant – et pourtant une grande partie de la nouvelle génération voit en elle un modèle, dans des domaines d'importance vitale. Elle ne cherche pas à « s'adapter » – et pourtant elle ne s'enferme pas dans sa tour d'ivoire, se lance sur les champs de bataille, résiste, politiquement et intellectuellement, à toutes les pressions, y compris celles des courants d'idées à la mode. Elle refuse de se sentir liée – et pourtant elle a des racines : elle est ancrée dans sa ville, dans des êtres, et dans des idées qu'elle poursuit, fait évoluer et progresser avec une clairvoyante logique; toujours prête à se corriger, à se radicaliser.

Ses *Mémoires* retracent et reflètent sa vie – dans la mesure où elle veut bien se livrer. Mais ses romans, généralement très autobiographiques, en sont parfois plus proches encore. Ceux qui s'inspirent très étroitement de son expérience et de son vécu (comme son premier livre : *l'Invitée*) me semblent plus puissants, que ceux qui s'appuient sur une idée trop structurée (comme *le Sang des autres*). Dans leurs derniers entretiens publiés, Beauvoir demande à Sartre : S'il avait le choix, préférerait-il entrer dans l'histoire comme philosophe ou comme écrivain? Comme écrivain, répond Sartre. J'ai posé, indirectement, la même question à Beauvoir, et elle aussi se prononce pour la littérature. « J'ai misé sur la littérature », dit-elle en comparant son œuvre à celle de Sartre.

S'il m'appartenait d'en décider, je privilégierais son travail de théoricienne (sa théorie, ne l'oublions pas, n'a acquis son extraordinaire force motrice que par l'intrication avec la vie et avec la littérature). Avec *le Deuxième Sexe,* où elle analyse sur tous les plans – physiologique, psychologique, économique, historique – la réalité extérieure et intérieure de la vie des femmes dans un monde dominé par les hommes, elle a fait un acte de pionnier sans précédent. Aujourd'hui encore, trente-trois ans après sa parution, ce livre constitue l'œuvre théorique la plus complète du nouveau féminisme – et celle qui, pour la plupart des questions, va le plus loin!

Certes, les nouveaux mouvements féminins qui ont émergé un peu partout dans le monde occidental, avec des origines historiques très complexes, existeraient aussi sans Simone de Beauvoir. Mais j'ose affirmer que, sans elle, le sol sous leurs pieds serait encore beaucoup plus instable et que, sur le plan théorique, il leur faudrait conquérir péniblement, pas à pas, le terrain défriché par une pionnière chaussée de bottes de sept lieues.

Quelle liberté d'esprit, que de fougue, de curiosité, de

travail acharné il a fallu pour mener à bien une étude comme *le Deuxième Sexe!* Pendant la guerre, les femmes avaient occupé des « postes d'homme », acquis des connaissances, pris confiance en elles. Maintenant, en ces années d'immédiate après-guerre, on les renvoyait à la maison, et elles se soumettaient, une fois encore, à l'ukase de la « féminité ». C'est alors que Simone de Beauvoir, en écrivant *le Deuxième Sexe,* lève l'étendard de la révolte. Seule.

Certes, quelques points en sont dépassés aujourd'hui (par exemple l'analyse des origines historiques du patriarcat où, conformément à l'état des recherches à l'époque, elle s'appuie trop sur Bachofen et Engels). Et certains problèmes, par exemple celui de la violence masculine envers les femmes, n'ont été vus que par les nouvelles féministes. Mais la démonstration méthodique de cette assertion fondamentale « On ne naît pas femme, on le devient », non seulement reste valable aujourd'hui comme hier, mais encore est plus actuelle que jamais, car nous voyons surgir une nouvelle mystification du féminin. Simone de Beauvoir nous montre que même nous, imprégnées du diktat de la féminité, piégées par nos oppresseurs jusque dans notre lit, nous pouvons et nous devons nous libérer de la mentalité d'esclaves. Elle incarne l'exigence existentialiste de se transformer d'objet en sujet, de refuser la passivité, d'agir malgré tout. Et de devenir ainsi – et à ce prix – un être humain.

« La plupart des femmes se soumettent tout simplement à leur destin, sans même tenter d'agir; celles qui ont voulu y changer quelque chose n'ont pas manifesté l'intention de défendre et d'affirmer leur spécificité, mais de la vaincre. Lorsqu'elles sont intervenues dans le cours de l'histoire, c'est en accord avec les hommes et dans une perspective masculine », écrit Simone de Beauvoir dans *le Deuxième Sexe.* Être femme n'a jamais constitué, à ses yeux, une vocation. Se libérer du rôle traditionnel a toujours signifié aussi, pour elle, se soustraire à la « Féminité ».

Pour Simone de Beauvoir l'existentialiste, le « destin de femme » devait devenir un défi. Elle a l'extraordinaire mérite d'avoir su lier l'analyse approfondie des racines de notre asservissement, et la révélation que nous pouvons nous en délivrer. Oser, nous les femmes, lever la tête. Notre liberté, il faudra en payer le prix.

Dans la dernière phrase du *Deuxième Sexe,* Simone de Beauvoir exprime le vœu qu'un jour les hommes et les femmes se retrouvent, « affirment sans équivoque leur fraternité ». C'est bien la vision la plus noble – et la plus audacieuse – d'une société délivrée de la prison des rôles sexuels (et autres) et des relations maître-esclave.

Pour moi, la vie et l'œuvre de Simone de Beauvoir sont un défi lancé aux hommes *et* aux femmes. Car si les femmes peuvent trouver dans sa théorie l'explication de leur situation, elle ne pourra jamais leur servir d'excuse.

ALICE SCHWARZER
Cologne, novembre 1982

Je suis féministe

ALICE SCHWARZER – Depuis votre livre *le Deuxième Sexe,* votre analyse de la situation de la femme reste la plus radicale. Aucun auteur n'est allé aussi loin et l'on peut dire que vous avez inspiré les nouveaux mouvements de femmes. Mais il aura fallu attendre vingt-trois ans pour que vous vous engagiez, vous-même, dans la lutte concrète et collective des femmes. Ainsi, vous avez participé, en novembre dernier, à Paris, à la marche internationale des femmes. Pourquoi?

SIMONE DE BEAUVOIR – Parce que je trouve que, dans les vingt ans qui viennent de s'écouler, la situation de la femme en France n'a pas réellement changé. Elle a obtenu quelques petites choses sur le plan légal pour le mariage et le divorce. Les méthodes contraceptives se sont répandues, mais de manière insuffisante, puisqu'il y a seulement 7 % des Françaises qui utilisent la pilule. Dans le monde du travail elle n'a pas, non plus, obtenu d'avantages sérieux. Il y a peut-être un peu plus de femmes qui travaillent qu'autrefois, mais pas beaucoup. De toute manière, elles sont toujours confinées dans des situations de peu d'importance. Elles sont secrétaires et non chefs d'entreprise, infirmières plus souvent que médecins. Les carrières les plus intéressantes leur sont pratiquement interdites et leur avancement est barré, à l'intérieur même de leur profession. Toutes ces considérations m'ont fait réfléchir. J'ai pensé qu'il fallait, si les femmes voulaient que leur situation change, qu'elles la prennent en main. D'autre part, les groupements de femmes qui ont existé en France avant le Mouvement de Libération des Femmes, créé en 1970, étaient réformistes et légalistes. Je n'avais aucune envie de m'y joindre. Le nouveau féminisme est au contraire radical. Il reprend les mots d'ordre de 1968 : changer la vie aujourd'hui même. Ne pas miser sur l'avenir mais agir sans attendre.

Quand des femmes du M.L.F. ont pris contact avec moi, j'ai eu envie de lutter à leur côté. Elles m'ont demandé de travailler à établir un manifeste sur l'avortement disant que, moi et d'autres, nous avions avorté. J'ai pensé que c'était une démarche valable qui attirerait l'attention sur un problème qui, tel qu'il se pose aujourd'hui en France, est un des plus scandaleux : le problème de l'avortement. Cela a donc été tout naturel pour moi, en novembre 1971, de descendre dans la rue et de défiler avec les militantes du M.L.F., en reprenant à mon compte leurs slogans : avortement libre et gratuit, contraception libre et gratuite, maternité volontaire.

A. S. – Vous parlez de la situation en France. Mais vous avez visité certains pays socialistes. La situation de la femme y a-t-elle fondamentalement changé?

S. B. – Elle est un peu différente. Par exemple, j'ai vu d'assez près la situation des femmes en U.R.S.S. Presque toutes les femmes soviétiques travaillent, et les femmes qui ne travaillent pas (les épouses de quelques fonctionnaires haut placés ou de gens très importants) sont méprisées par les autres. Les femmes soviétiques sont très fières de travailler. Elles ont des responsabilités politiques, sociales assez considérables et le sens de leurs responsabilités. Cependant, si l'on considère le nombre de femmes qui se trouvent au comité central ou dans les assemblées, qui ont un véritable pouvoir, il est très petit par rapport à celui des hommes. Elles exercent surtout les professions les moins agréables et les moins cotées. En U.R.S.S., presque tous les médecins sont des femmes. C'est que la profession de médecin – la médecine étant gratuite – est extrêmement dure, fatigante et mal rétribuée par l'État.

On cantonne les femmes dans la médecine, dans l'enseignement; les carrières plus importantes, comme les sciences, les métiers d'ingénieurs, etc., leur sont beaucoup moins accessibles. D'une part, elles ne sont donc pas professionnellement à égalité avec les hommes. D'autre part, on rencontre partout le même scandale, contre lequel luttent les femmes du Mouvement de Libération : le travail ménager et les soins aux enfants incombent entièrement aux femmes.

C'est très frappant, par exemple, dans le livre de Soljenitsyne, *le Pavillon des cancéreux*. On voit, à l'hôpital, une femme qui est un grand patron, une très haute figure de la science médicale : quand elle quitte ses malades, après une journée d'hôpital épuisante, elle se précipite chez elle faire le dîner et la vaisselle pour son mari et ses enfants. C'est elle aussi qui fait la queue pendant des heures dans les magasins. Si bien qu'à toutes ses tâches professionnelles, très lourdes, elle superpose des tâches ménagères, exactement comme dans les autres pays. Et même peut-être plus qu'en France, où une femme, dans une situation analogue, aurait une femme de ménage.

C'est une condition qui, dans un sens, est meilleure que celle de la femme dans les pays capitalistes, mais qui est plus difficile. Ce qu'on peut conclure c'est qu'*en U.R.S.S. non plus, l'égalité de l'homme et de la femme n'est pas du tout réalisée.*

A. S. – Quelles en sont les raisons?

S. B. – Eh bien, d'abord, les pays socialistes ne sont pas réellement socialistes : nulle part on n'a réalisé un socialisme qui changerait l'homme comme le rêvait Marx. On a changé les rapports de production, mais nous comprenons de mieux en mieux que changer les rapports de production, ce n'est pas suffisant pour changer vraiment la société, pour changer l'homme. Et, par conséquent, malgré ce système économique différent, les rôles traditionnels de l'homme et de la femme demeurent. C'est lié au fait que, dans nos sociétés, *les hommes ont*

profondément intériorisé, sous forme de ce que j'appel-
lerai un complexe de supériorité, l'idée de leur supé-
riorité. Ils ne sont pas prêts à l'abandonner. Ils ont
besoin, pour se valoriser, de voir dans la femme une
inférieure. Elle-même est tellement habituée à se croire
inférieure que rares sont celles qui luttent pour conquérir
l'égalité.

A. S. – Sur la notion de féminisme, il y a beaucoup
de malentendus. J'aimerais que vous me donniez votre
définition.

S. B. – A la fin du *Deuxième Sexe,* je disais que je
n'étais pas féministe parce que je pensais que la solution
des problèmes féminins devait se trouver dans une
évolution socialiste de la société. J'entendais, par être
féministe, se battre sur des revendications proprement
féminines indépendamment de la lutte des classes.
Aujourd'hui, je garde la même définition : j'appelle féministes les femmes ou même les hommes qui se battent
pour changer la condition de la femme, bien sûr en
liaison avec la lutte des classes, mais cependant en dehors
d'elle, sans subordonner totalement ce changement à
celui de la société. Et je dirais qu'aujourd'hui je suis
féministe de cette manière-là. Parce que je me suis rendu
compte qu'il faut bien, avant que n'arrive le socialisme
dont nous rêvons, qu'on se batte pour la condition concrète
de la femme. Et, d'autre part, je me suis rendu compte
que, même dans les pays socialistes, cette égalité n'était
pas obtenue. Il faut donc que les femmes prennent leur

sort en main. C'est pourquoi, je me trouve maintenant liée au Mouvement de Libération des Femmes.

En outre, j'ai constaté – ce qui est d'ailleurs une des raisons qui ont fait, je crois, que beaucoup de femmes ont créé le mouvement – *que même dans les mouvements de gauche français, et même dans les mouvements gauchistes, il y avait une profonde inégalité entre l'homme et la femme.* C'est toujours la femme qui faisait les besognes les plus humbles et les plus ennuyeuses, les plus effacées. Et c'était toujours les hommes qui prenaient la parole, qui écrivaient des articles, qui faisaient toutes les choses les plus intéressantes et qui prenaient les plus grandes responsabilités.

Donc, même au sein de ces mouvements qui, en principe, sont faits pour libérer tout le monde, et les jeunes et les femmes, la femme demeurait inférieure. Cela va même plus loin. Je ne dis pas tous, mais beaucoup de gauchistes mâles sont agressivement hostiles à la libération des femmes. Ils les méprisent et le leur montrent. La première fois qu'une réunion féministe a eu lieu à Vincennes, un certain nombre de gauchistes mâles ont fait irruption dans la salle en criant : « *Le pouvoir est au bout du phallus.* » Je crois qu'ils commencent à réviser cette position : mais, précisément, parce que les femmes mènent une action militante indépendante d'eux.

A. S. – Quelles sont, en général, vos positions envers les nouvelles féministes, ces jeunes femmes en lutte qui sont plus radicales que jamais?

S. B. – Vous savez, il y a – en tout cas en Amérique, l'endroit où le mouvement est le plus avancé – tout un éventail de tendances : de Betty Friedman, qui est assez conservatrice, jusqu'à ce qu'on appelle le S.C.U.M., c'est-à-dire le mouvement pour l'émasculation de tous les hommes. Et, entre ces deux positions, il y en a une quantité d'autres. En France, il me semble qu'au sein du mouvement il y a aussi différentes tendances. *Moi, ma tendance est de vouloir lier l'émancipation féminine à la lutte des classes.* J'estime que le combat des femmes, tout en étant singulier, est lié à celui qu'elles doivent mener avec les hommes. Par conséquent, je refuse complètement la répudiation totale de l'homme.

A. S. – Que pensez-vous alors du principe de non-mixité à l'intérieur des groupes qui est, au stade actuel, adopté par la majorité des mouvements de femmes?

S. B. – Comme vous venez de le dire, *c'est un stade. Je pense que, pour l'instant, c'est une bonne chose.* Pour plusieurs raisons : d'abord, si l'on admettait des hommes dans ces groupes, ils ne pourraient pas s'empêcher d'avoir le réflexe masculin de vouloir commander, s'imposer. D'autre part, beaucoup de femmes ont encore – quoi qu'elles en disent et même quelquefois, d'ailleurs, elles le savent – un certain sentiment d'infériorité, une certaine timidité; il y en aurait beaucoup qui n'oseraient pas s'exprimer librement devant des hommes. Et, en particulier, il est indispensable qu'elles sachent qu'elles ne vont pas se sentir jugées par l'homme qui partage leur vie, parce que c'est aussi par rapport à lui qu'elles doivent se libérer...

A. S. – ...et analyser leur oppression spécifique?

S. B. – C'est cela. *Pour l'instant, ni la mentalité des hommes ni celle des femmes ne permettraient que la discussion d'un groupe mixte soit vraiment tout à fait sincère.*

A. S. – Mais cette exclusion momentanée de l'homme n'est-elle pas aussi une question politique? Vu qu'il représente le système et que, de plus, c'est lui-même qui, individuellement, opprime la femme, l'homme n'est-il pas considéré, dans une première étape, par les féministes comme « l'ennemi principal »?

S. B. – Oui, mais c'est assez compliqué car, comme le disait Marx à propos des capitalistes, ce sont aussi des victimes. *Il est trop abstrait de dire, comme je l'ai pensé quelque temps, que c'est uniquement au système qu'il faut s'en prendre. Il faut s'en prendre aussi aux hommes. Parce qu'on n'est pas impunément complice et profiteur d'un système.* Même si on ne l'a pas soi-même établi. Un homme d'aujourd'hui n'a pas fondé ce régime patriarcal, mais il en profite, même s'il est de ceux qui le critiquent. Et il l'a intériorisé.

Il faut s'en prendre au système mais, en même temps, avoir à l'égard des hommes sinon de l'hostilité, du moins de la méfiance, de la prudence et ne pas permettre qu'ils empiètent sur nos propres activités, sur nos propres possibilités. Il faut s'attaquer à la fois au système et aux hommes. Même si un homme est féministe, il faut garder ses distances et se méfier du paternalisme. Les femmes ne veulent pas qu'on leur octroie l'égalité, elles veulent la conquérir. Ce qui n'est pas du tout la même chose.

A. S. – Vous-même, expérience faite, avez-vous eu cette méfiance, cette haine, envers les hommes?

S. B. – Non. Je me suis toujours très bien entendue avec les hommes qui faisaient partie de ma vie. D'ailleurs beaucoup de femmes du M.L.F. que je connais n'ont pas, non plus, la haine des hommes, mais plutôt une attitude de prudence, un désir de ne pas se laisser dévorer.

A. S. – Ne pensez-vous pas qu'il soit bon, politiquement, que certaines femmes aillent plus loin?

S. B. – *Peut-être, en effet, n'est-il pas mauvais qu'il y ait des femmes qui soient tout à fait radicales et qui refusent complètement l'homme.* Elles entraînent celles qui seraient disposées à certaines compromissions. C'est très possible.

A. S. – Dans la majorité des mouvements de femmes, il existe un courant homosexuel – qui n'est, en aucune façon, majoritaire, comme on essaie souvent de le faire croire – qui donne des impulsions très importantes à ces mouvements. Considérez-vous que l'homosexualité féminine – en tant que forme la plus radicale de l'exclusion de l'homme – puisse être une arme politique dans la phase actuelle de la lutte?

S. B. – Je n'y ai pas réfléchi. Je pense qu'en principe il est bon qu'il y ait certaines femmes très radicales. Les homosexuelles peuvent avoir un rôle utile. Mais, quand elles se laissent obnubiler par leurs partis pris, elles risquent d'éloigner du mouvement les hétérosexuelles. Je trouve ennuyeuse et irritante leur mystique du clitoris et tous ces dogmes sexuels qu'elles prétendent nous imposer.

A. S. – Leur premier argument est que, dans les circonstances actuelles, tout rapport sexuel avec les hommes est oppressif. Elles le refusent donc. Qu'en pensez-vous?

S. B. – Est-il bien vrai que tout rapport sexuel entre homme et femme soit oppressif? Ne pourrait-on pas travailler non pas à refuser ce rapport mais à faire en sorte qu'il ne soit pas oppressif? *Cela me choque qu'on prétende que tout coït est un viol.* Je ne le crois pas. Quand on dit que tout coït est un viol, on reprend les mythes masculins. Cela veut dire que le sexe de l'homme est une épée, une arme. La question est d'inventer de nouveaux rapports sexuels non oppressifs.

A. S. – Vous avez parlé tout à l'heure de votre expérience individuelle. Vous avez dit, dans un commentaire sur *le Deuxième Sexe,* que le problème de la féminité ne vous avait personnellement pas touchée et que vous vous étiez sentie dans une « position de très grande impartialité ». Vouliez-vous dire qu'une femme peut échapper individuellement à sa condition de femme?

Sur le plan professionnel et dans ses rapports avec les autres?

S. B. – Échapper complètement à sa condition de femme? Non! J'ai un corps de femme. Mais enfin, j'ai eu beaucoup de chance. J'ai échappé à la plupart des servitudes de la femme : celles de la maternité, celles de la vie ménagère. D'autre part, professionnellement, à mon époque, il y avait moins de femmes qui poussaient leurs études. Réussir une agrégation de philosophie, c'était se situer d'une manière privilégiée parmi les femmes. Du coup, je me suis fait reconnaître par les hommes : ils étaient prêts à reconnaître avec amitié une femme qui réussissait aussi bien qu'eux, parce que c'était assez exceptionnel. Maintenant, nombreuses sont les femmes qui font des études sérieuses et les hommes ont peur de perdre leurs places. Plus généralement, si vous admettez comme moi qu'une femme n'est pas obligée d'être mariée et mère pour avoir une vie complète et heureuse, il y a un certain nombre de femmes qui peuvent accomplir pleinement leur vie sans souffrir des servitudes de la femme.

A. S. – Vous avez dit : « Ma plus grande réussite dans ma vie, c'est Sartre. »

S. B. – Oui.

A. S. – Mais vous avez toujours eu un très grand souci d'indépendance et la peur d'être dominée... Bien que les rapports égalitaires entre homme et femme soient si difficiles à établir, pensez-vous personnellement y être parvenue?

S. B. – Oui. Ou, plutôt, le problème ne s'est pas posé, parce que Sartre n'a rien d'un oppresseur. Si j'avais aimé quelqu'un d'autre que Sartre, je ne me serais, en tout cas, jamais laissé opprimer. Il y a des femmes qui échappent à la domination masculine : à condition d'avoir une autonomie professionnelle. Certaines parviennent à une relation équilibrée avec un homme. D'autres ont des aventures sans conséquences.

A. S. – Vous avez parlé de la femme comme d'une classe inférieure...

S. B. – Je n'ai pas parlé de classe. Mais j'ai dit dans *le Deuxième Sexe* que les femmes étaient une caste inférieure. Ce qu'on appelle caste, c'est un groupe dans lequel on est né et dont on ne peut pas sortir. Tandis qu'on peut, en principe, sortir d'une classe pour passer dans une autre. Si vous êtes femme, jamais vous ne deviendrez un homme. Cela, c'est vraiment faire partie d'une caste. Et la manière dont les femmes sont traitées sur le plan économique, social et politique, fait d'elles une caste inférieure.

A. S. – Certains mouvements sont allés plus loin. En partant du travail domestique, qui est gratuit et sans valeur d'échange, ils définissent les femmes comme une classe à part, hors des classes existantes. C'est-à-dire qu'elles posent l'oppression patriarcale comme contradiction principale et non secondaire. Êtes-vous d'accord avec cette analyse?

S. B. – Je trouve que les analyses sur ce point sont insuffisantes. Je voudrais que quelqu'un fasse un travail tout à fait sérieux là-dessus. Juliet Mitchell, par exemple, a montré dans *Woman's Estate* comment la question se posait. Mais elle ne prétend pas encore, dans ce petit livre, la résoudre. Je me rappelle que c'est une des premières questions que j'ai posées quand j'ai rencontré des militantes du Mouvement de Libération des Femmes : *comment, selon vous, s'articule exactement l'oppression patriarcale et l'oppression capitaliste? Pour l'instant je ne vois pas exactement la réponse. C'est un point sur lequel j'aimerais travailler dans les années à venir. Ça m'intéresse beaucoup.*

Mais je trouve que les analyses qui font de l'oppression patriarcale l'équivalent de l'oppression capitaliste ne sont pas justes. Le travail de la ménagère ne produit pas de plus-value : c'est une autre condition que celle de l'ouvrier à qui on vole la plus-value de son travail. Je voudrais savoir exactement quels rapports existent entre les deux. *Toute la tactique que doivent suivre les femmes en dépend.*

C'est très juste de mettre l'accent sur le travail ménager non payé. Mais il y a beaucoup de femmes qui gagnent leur vie et qui ne peuvent pas être considérées comme exploitées au même titre que la ménagère.

A. S. – Mais, même lorsque la femme travaille hors de chez elle, pour un même travail, elle est moins payée que l'homme.

S. B. – Oui, c'est vrai. Les salaires, généralement, ne sont pas égaux. Mais j'y reviens. Le genre d'exploitation de la femme en tant que ménagère n'est pas le même que celui de l'ouvrier. C'est justement un point qui n'a pas été encore étudié d'une manière suffisante dans aucun des livres que j'ai lus : ceux de Kate Millett, de Germaine Greer ou de Firestone.

A. S. – Elles n'apportent d'ailleurs rien de bien nouveau au point de vue de l'analyse...

S. B. – Non. Ni Millett ni Greer. Seule Firestone, qui est moins connue, a apporté quelque chose de neuf dans son livre *Dialectic of Sex :* elle associe la libération des femmes à la libération des enfants. C'est juste, parce que les femmes ne seront libérées que lorsqu'elles seront libérées des enfants et que, du même coup, les enfants seront libérés, jusqu'à un certain point, des adultes.

A. S. – Vous vous êtes engagée concrètement dans la lutte des classes après Mai 1968. Vous avez pris la responsabilité d'un journal révolutionnaire. Vous êtes descendue dans la rue. Bref, vous avez pris part à la lutte. Comment voyez-vous les rapports entre la lutte des classes et la lutte des sexes ?

S. B. – *Tout ce que je peux constater, et qui m'a amenée à modifier mes positions du* Deuxième Sexe, *c'est que la lutte des classes proprement dite n'émancipe pas les femmes. Qu'il s'agisse des communistes, des trotskistes ou des maoïstes, il y a toujours une subordination de la femme à l'homme.* Par conséquent, je me suis convaincue qu'il fallait que les femmes soient vraiment féministes, qu'elles prennent en main le problème de la femme. Maintenant, il faudrait analyser la société d'une manière tout à fait sérieuse, pour essayer de comprendre le rapport entre l'exploitation de l'ouvrier et l'exploitation de la femme. Et dans quelle mesure la suppression du capitalisme amènerait des conditions plus favorables à l'émancipation féminine. Je ne sais pas. Cela reste à faire. *Il y a une chose dont je suis certaine, c'est que supprimer le capitalisme, c'est mettre, du même coup, les choses mieux en place pour l'émancipation de la femme. Mais ce n'est pas encore l'obtenir.*

Supprimer le capitalisme, ce n'est pas supprimer la tradition patriarcale, tant qu'on garde la famille. Je crois qu'il faut non seulement supprimer le capitalisme, changer les moyens de production, mais qu'il faut aussi changer la structure familiale. Et cela, même en Chine, ce n'est pas fait. Bien sûr, ils ont supprimé la famille féodale et, du même coup, apporté de grands changements dans la condition de la femme. Mais, dans la mesure où ils acceptent la famille conjugale, qui est encore, au fond, un héritage de la famille patriarcale, *je ne crois pas du tout que les femmes en Chine soient libérées. Je pense qu'il faut supprimer la famille.* Je suis tout à fait d'accord avec toutes les tentatives faites par les femmes, et d'ailleurs aussi, quelquefois, par les hommes, pour remplacer la famille soit par des communautés soit par d'autres formes qui restent à créer.

A. S. – On pourrait donc dire que la lutte des classes ne résout pas forcément la condition de la femme, mais que le féminisme radical, la mise en question de la société et des rapports existants entre hommes et femmes, résout forcément la lutte des classes?

S. B. – Non, pas forcément. Si l'on commence par supprimer la famille et les structures familiales, il y a bien des chances, en effet, pour que le capitalisme s'en trouve ébranlé. Mais, là aussi, je ne m'aventurerai pas sans avoir beaucoup réfléchi sur la question. Dans quelle mesure la destruction, à partir de la femme, de la société patriarcale arriverait à supprimer tous les aspects du capitalisme et de la technocratie, ça, je ne sais pas.

Si le féminisme a des exigences tout à fait radicales et qu'il arrive à les faire prévaloir, alors, à ce moment-là, il menacera vraiment le système. Mais cela ne suffira pas à réorganiser les rapports de production, les rapports de travail et les rapports des hommes – j'entends par là des êtres humains – entre eux. Il n'y a pas d'analyse suffisante là-dessus. Cela vient du fait que les femmes qui ont été actives dans le féminisme étaient des bourgeoises qui luttaient sur le plan politique.

C'étaient des suffragettes qui cherchaient à conquérir le droit de vote. Elles ne se plaçaient pas sur le plan économique. Et, sur le plan économique, on s'est trop contenté des formules marxistes, à savoir : quand le socialisme sera là, il y aura du même coup égalité entre l'homme et la femme. J'ai été très étonnée quand j'ai écrit *le Deuxième Sexe* d'être très mal accueillie par la

gauche. Je me souviens d'une discussion avec des trotskistes qui m'ont dit : le problème de la femme, c'est un
faux problème. Il ne se pose pas. Lorsque la révolution
aura eu lieu les femmes se retrouveront tout naturellement à leur place.

Il y a également les communistes, avec qui j'étais très
mal politiquement à ce moment-là, et qui se sont beaucoup moqués de moi. Ils ont écrit dans des articles que
les ouvrières de Billancourt se foutaient bien du problème
féminin. Lorsque la révolution serait faite, à ce moment-
là, les femmes seraient les égales des hommes. Mais ce
qui arriverait aux femmes, jusqu'à ce que la révolution
soit faite, ça ne les intéressait pas.

Moi aussi j'espérais que, dans les pays socialistes, les
choses se passeraient beaucoup mieux que dans les pays
capitalistes. Or, en fait, il n'en est rien. Enfin avec les
nuances que j'ai indiquées tout à l'heure.

A. S. – Après la parution du *Deuxième Sexe,* on vous
a souvent reproché de ne pas avoir développé de tactique
de lutte pour les femmes, de vous être arrêtée à l'analyse.

S. B. – C'est juste! Je reconnais que c'est ce qu'il y
a d'insuffisant dans ce livre. Je m'arrête en faisant
vaguement confiance à l'avenir, à la révolution et au
socialisme.

A. S. – Et aujourd'hui?

S. B. – Aujourd'hui, j'ai changé. Je vous l'ai dit dès
le début, *je suis devenue vraiment féministe.*

A. S. – Concrètement, quelles possibilités de libération, sur le plan individuel et collectif, voyez-vous pour
les femmes?

S. B. – Sur le plan individuel, *la première chose c'est
de travailler. Si possible de refuser le mariage.* Après
tout j'aurais aussi bien pu me marier avec Sartre. Mais
je crois que nous avons été sages de ne pas le faire.
Parce que, quand vous êtes mariés, les gens vous tiennent
pour mariés et, du même coup, ça vous amène à vous
considérer, vous-mêmes, comme mariés. Ce n'est pas
tout à fait le même rapport que vous avez avec la société
si vous êtes mariés ou si vous ne l'êtes pas. *Je crois que
le mariage est dangereux pour la femme.*

Cela dit, elle peut avoir des raisons de se marier. Si
elle veut avoir des enfants, par exemple. C'est encore
très hasardeux de donner le jour à des enfants dont les
parents ne sont pas mariés : ils rencontreront tout un tas
de difficultés. *Si l'on veut vraiment être indépendante,
ce qui compte, c'est d'avoir un métier, c'est de travailler.*
C'est le conseil que je donne à toutes les femmes qui
me posent la question. C'est une condition nécessaire.
Elle vous permet, quand vous êtes mariée et que vous
voulez divorcer, de partir, de faire vivre vos enfants,
d'assumer votre propre existence. Cela dit, le travail
n'est pas une panacée.

Je sais très bien que le travail, tel qu'il est aujourd'hui,
a un côté libérateur mais aussi un côté aliénant. Et que,
par conséquent, les femmes ont souvent à choisir entre
deux aliénations : celle de la ménagère ou celle du travail

à l'usine. Le travail n'est pas une panacée mais il est quand même la première condition de l'indépendance.

A. S. – Et les femmes qui sont déjà mariées, qui ont déjà des enfants?

S. B. – Je pense qu'il y a des femmes qui n'ont plus leur chance. Si elles ont déjà 35 ans, qu'elles sont mariées avec quatre enfants sur les bras et aucune qualification professionnelle, je ne vois pas très bien ce qu'elles peuvent faire pour se libérer. *On ne peut parler de libération avec vraiment des chances de succès que pour les générations qui montent* [1].

A. S. – Les femmes qui luttent pour leur libération doivent-elles se limiter au plan individuel ou passer à l'action collective?

S. B. – Elles doivent passer à l'action collective. Je ne l'ai pas fait personnellement jusqu'ici parce qu'il n'y avait pas de mouvement organisé avec lequel je me sente d'accord. Mais, tout de même, écrire *le Deuxième Sexe,* c'était faire un acte qui dépassait ma propre libération. J'ai écrit ce livre par intérêt pour l'ensemble de la condition féminine, non pas simplement pour comprendre ce qu'était la situation des femmes, mais aussi pour lutter, pour aider les autres femmes à se comprendre.

En vingt ans, j'ai d'ailleurs reçu énormément de lettres de femmes qui m'ont dit que mon livre les avait beaucoup aidées à comprendre leur situation, à lutter, à prendre

---

1. Voir critique de cette idée dans le troisième entretien, p. 71.

des décisions. J'ai toujours pris soin de répondre à ces femmes. J'ai rencontré certaines d'entre elles. J'ai toujours essayé d'aider les femmes en difficulté.

A. S. – En général, comment voyez-vous l'évolution de la libération des femmes?

S. B. – Je pense qu'elle devrait progresser. Mais je ne sais pas. En France, comme ailleurs, la plupart des femmes sont très conservatrices. Elles se veulent « féminines ». Tout de même, il me semble que les nouvelles conditions du travail ménager libèrent un peu la femme et lui laissent plus de temps pour réfléchir; elle devrait être amenée à se révolter. Sur le plan professionnel, *il est certain qu'on ne donnera jamais de travail aux femmes dans un pays capitaliste tant qu'il y aura du chômage chez les hommes.* C'est pourquoi je pense que l'égalité des femmes ne pourra être conquise que s'il y a un renversement total du système.

Cela dit, je pense que le mouvement des femmes, tout comme les mouvements d'étudiants, qui, au début, étaient limités et qui, par la suite, ont déclenché des grèves dans tout le pays, pourrait faire sauter beaucoup de choses. Si elles arrivent à pénétrer dans le monde du travail, alors elles ébranleront vraiment le système. Pour l'instant, la faiblesse du mouvement français et, je crois, du mouvement américain, c'est qu'il rallie très peu d'ouvrières.

A. S. – N'est-ce pas une question de stade de la lutte?

S. B. – Certainement. Tout est lié : quand les femmes font des grèves dans les usines, comme à Troyes et à Nantes, elles prennent conscience de leur pouvoir, de leur autonomie, et elles se laisseront beaucoup moins marcher sur les pieds à la maison.

A. S. – Vous pensez donc qu'il faut développer ce sentiment de solidarité?

S. B. – Absolument. L'émancipation individuelle ne suffit pas. Il faut un travail collectif lié à la lutte des classes. Les femmes qui luttent pour l'émancipation de la femme ne peuvent pas être vraiment féministes sans être de gauche parce que, si le socialisme n'est pas suffisant pour assurer l'égalité des sexes, il est nécessaire.

A. S. – D'ailleurs, pour la première fois dans l'histoire, les mouvements féministes sont des mouvements révolutionnaires. Ils ne croient plus pouvoir changer le sort de la femme sans changer la société.

S. B. – C'est vrai. Il y a un slogan que j'ai lu en Italie et que j'ai trouvé très juste : « *Pas de révolution sans émancipation de la femme, pas d'émancipation de la femme sans révolution.* »

A. S. – Dans *le Deuxième Sexe,* vous avez cité une phrase de Rimbaud qui donne une vision d'un monde de demain où la femme serait libérée. Avez-vous une idée de ce monde nouveau?

S. B. – Rimbaud imaginait que les femmes, lorsqu'elles seraient libérées, apporteraient quelque chose d'entièrement différent au monde. Ça, je ne le crois pas. Je ne crois pas que, lorsque les femmes auront conquis l'égalité, se développeront des valeurs spécifiquement féminines. J'en ai discuté avec des féministes italiennes. Elles disent : nous devons refuser les valeurs masculines, les modèles masculins, nous devons inventer des choses entièrement différentes. Je ne suis pas d'accord.

Le fait est que la culture, la civilisation, les valeurs universelles ont toutes été le fait des hommes, puisque c'étaient eux qui représentaient l'universitalité. De même que le prolétariat, en refusant que la bourgeoisie soit la classe dominante, ne rejette pas tout l'héritage bourgeois, de même les femmes ont à s'emparer, à égalité avec les hommes, des instruments qui ont été créés par ceux-ci, mais non pas à les refuser tous. Je pense qu'il y a là encore une question de méfiance, de vigilance.

Il est vrai qu'en créant ces valeurs universelles – j'appelle valeur universelle la science mathématique, par exemple – les hommes, très souvent, leur ont donné un caractère proprement masculin, mâle, viril, et qu'ils ont mélangé les deux d'une manière très subtile et sournoise. Il s'agit alors de dissocier les deux, de dépister cette contamination. C'est possible et c'est un des travaux que les femmes doivent faire. Mais il ne faut pas rejeter le monde masculin, parce qu'après tout c'est aussi notre monde.

Je pense que la femme libérée serait aussi créatrice que l'homme. Mais qu'elle n'apporterait pas de valeurs neuves. Croire le contraire, c'est croire qu'il existe une nature féminine, ce que j'ai toujours nié. Tous ces

concepts, il faut complètement les balayer. Que la libération de la femme amène de nouveaux types de rapports
entre les êtres, que les hommes comme les femmes en
soient changés, c'est sûr. Il faut que les femmes soient,
tout comme les hommes, des êtres humains à part
entière. Les différences qui existent entre eux ne sont
pas plus importantes que les différences individuelles
qu'il peut y avoir entre des femmes ou entre des hommes.

A. S. – Êtes-vous pour la violence dans la lutte des
femmes?

S. B. – Telle qu'est la situation aujourd'hui, oui,
jusqu'à un certain point, *car les hommes usent de violence à l'égard des femmes,* aussi bien dans leur langage
que dans leurs gestes. Ils agressent les femmes : ils les
violent, ils les insultent et certains regards sont agressions. *Les femmes doivent se défendre également par la
violence. Certaines apprennent le karaté ou d'autres
formes de combat. Je suis tout à fait d'accord.* Elles
seront ainsi beaucoup plus à l'aise dans leur peau et
dans le monde que si elles se sentent désarmées face
aux agressions masculines.

A. S. – Vous parlez souvent des Américaines. Est-ce
avec elles que vous avez le plus de contacts?

S. B. – Oui. D'abord, il y a leurs livres. Il y en a
beaucoup. Il y a ceux que nous avons cités : Kate Millett,
Germaine Greer bien qu'elle ne soit pas américaine,
Firestone. J'ai lu leurs livres, tandis que les Françaises
n'ont encore rien publié. Il faut dire que le mouvement

des Américaines remonte plus haut. J'ai aussi reçu beaucoup de lettres d'Américaines, des invitations à aller en Amérique. Mais, maintenant, je leur réponds : je travaille avec les Françaises; c'est chez moi que je dois d'abord travailler.

A. S. – Maintenant que vous vous considérez comme une militante féministe et que vous vous engagez dans la lutte concrète, quelle action envisagez-vous dans l'immédiat?

S. B. – Il y a un projet auquel je travaille avec un groupe de femmes : c'est de tenir de grandes journées de dénonciation des crimes commis contre la femme. Les deux premières séances porteront sur les problèmes de la maternité, de la contraception et de l'avortement. Elles auront lieu le 13 et le 14 mai dans la grande salle de la Mutualité [1]. Il y aura une sorte de commission d'enquête, constituée par une dizaine de femmes; elles interrogeront des témoins : des biologistes, des sociologues, des psychiatres, des médecins, des sages-femmes, mais surtout des femmes qui ont souffert de la condition faite actuellement à la femme.

Nous espérons convaincre le public qu'il faut assurer à la femme le droit de procréer librement, c'est-à-dire l'aider à supporter les charges de la maternité – en particulier par des crèches – et aussi à refuser les maternités non désirées grâce aux pratiques anticoncep-

1. Comité d'organisation des premières journées de dénonciation des crimes contre les femmes.

tionnelles et à l'avortement. Nous réclamons qu'il soit libre, que la femme en décide seule.

A. S. – On lie souvent lutte des femmes et avortement. Comptez-vous, dans votre engagement, dépasser ce stade?

S. B. – Naturellement. Je pense qu'il faut que le Mouvement de Libération des Femmes, et moi avec elles, nous travaillions à beaucoup d'autres choses. Nous ne luttons pas seulement pour l'avortement libre mais pour la diffusion massive des pratiques anticonceptionnelles qui ne laisseraient à l'avortement qu'un rôle marginal. D'autre part, contraception et avortement ne sont qu'une base de départ pour une libération des femmes. Plus tard nous organiserons d'autres journées où nous dénoncerons l'exploitation du travail féminin : celui de la ménagère, celui de l'employée, de l'ouvrière.

Paris, février 1972

Nous ne sommes pas à l'abri de toute critique

A. S. – Vous avez écrit, Simone : « Mon œuvre la plus importante est ma vie », et « l'événement capital de ma vie est la rencontre avec Sartre ». Voici quarante ans que vous formez un couple, mais en même temps vous avez essayé d'échapper à la possessivité, à la jalousie, à la fidélité, à la monogamie. Votre mode de vie vous a valu maintes critiques, mais bien des gens ont tenté de vous imiter. Consciemment ou non, vous êtes devenue une sorte d'idéal, de modèle, pour beaucoup de couples. Et surtout pour beaucoup de femmes qui ont pris votre théorie, votre pratique, votre vie comme point de référence. C'est dans cette perspective que j'aimerais vous poser quelques questions sur les relations du couple Sartre-Simone de Beauvoir.

Et pour commencer : ne pensez-vous pas que le fait de n'avoir jamais partagé le même appartement a plus d'importance que celui de ne pas vous marier?

S. B. – Incontestablement! Car finalement, si ce que l'on appelle l'union libre reproduit les conditions du mariage – c'est-à-dire que l'on a un même foyer où l'on prend tous ses repas ensemble – la femme joue, malgré tout, son rôie féminin traditionnel, et la différence avec le mariage est minime. Alors que nous, nous avons eu un mode de vie très souple qui nous a permis de vivre parfois sous le même toit sans pour autant vivre tout à fait ensemble. Par exemple, quand nous étions très jeunes, nous habitions à l'hôtel et prenions nos repas au restaurant, tantôt ensemble, tantôt avec des amis. Nous passions également les vacances ensemble, mais en partie seulement. Par exemple, moi j'aime beaucoup la marche, Sartre non. Je partais donc en randonnée seule, pendant que lui allait chez des amis. Cette espèce de liberté que nous avons maintenue dans la vie quotidienne a beaucoup compté. Elle nous a évité de voir s'interposer entre nous la routine stérilisante de la vie quotidienne. Je crois en effet que cela a été plus important que de ne pas être passés devant M. le Maire.

A. S. – Vous avez décidé de ne pas habiter ensemble. C'est peut-être plus facile lorsqu'on est, sur le plan matériel, un privilégié?

Jean-Paul Sartre. – Je crois, oui.

S. B. – Nous n'étions pas très riches, mais chacun avait son traitement de professeur et pouvait donc s'offrir une petite chambre d'hôtel. C'est sûr, quand on n'a que de maigres ressources, il est très difficile de subvenir à des dépenses pareilles. L'idée de ne pas habiter ensemble est venue du fait que nous n'avions, ni l'un ni l'autre, envie de nous embarrasser d'une maison à tenir. Nous vivions à l'hôtel. Je ne me voyais pas du tout avec un appartement. A l'époque, non seulement nous ne voulions pas cohabiter, mais, pour ainsi dire, ne pas habiter du tout.

A. S. – A une certaine période, pourtant, vous avez vécu dans le même hôtel?

J.-P. S. – Oh oui!

S. B. – Oh oui! Très souvent même. Presque toujours. Quelquefois à des étages différents, quelquefois sur le même palier. Mais cela représentait quand même une grande indépendance.

A. S. – A la lecture de vos *Mémoires,* je me demande si vous avez réellement voulu mettre en question la monogamie. N'avez-vous pas, plutôt, accordé l'un et l'autre à votre relation une priorité absolue, réduisant toute tierce personne à un rôle secondaire?

S. B. – Oui, c'est exact.

J.-P. S. – Oui, il y a du vrai là-dedans. C'est ce qui me mettait en opposition avec les autres femmes. Car elles voulaient, elles, le rôle principal.

S. B. – C'est-à-dire que les tiers, tant dans la vie de Sartre que dans la mienne, connaissaient dès le début l'existence d'une relation écrasant celle qu'on avait avec eux. Ce n'était souvent pas très agréable pour eux. Effectivement, ils ont parfois été lésés. Notre relation n'est donc pas, elle non plus, au-dessus de toute critique, puisqu'elle nous a parfois amenés à nous conduire pas très correctement envers les gens.

A. S. – C'était au détriment des autres?

S. B. – Oui, exactement.

A. S. – Et la décision – s'il y en a eu une – de ne pas avoir d'enfant? Ou bien, pour vous deux, cela allait-il de soi?

S. B. – Pour moi, cela allait de soi. Non pas que l'idée d'élever des enfants me répugnait *a priori*. Quand, très jeune, je pensais faire un mariage bourgeois avec mon cousin Jacques, ça impliquait des enfants. Mais ma relation avec Sartre était telle – sur une base surtout intellectuelle et non institutionnelle, familiale ou autre – que je n'ai jamais éprouvé le désir d'avoir un enfant. Je n'avais pas tellement envie d'avoir une reproduction de Sartre – il me suffisait – ni de moi-même : je me suffisais. Je ne sais pas... Pour vous, Sartre, la question s'est-elle posée?

J.-P. S. – Quand j'étais jeune, je ne songeais pas à avoir un enfant.

A. S. – Mais aujourd'hui vous avez adopté une fille?

J.-P. S. – C'est très différent, c'est un rapport volontaire. Il s'agit moins d'une fille... Je l'ai adoptée plutôt pour lui rendre service, et à moi aussi.

S. B. – C'était plutôt à elle que ça faisait plaisir d'avoir une sorte de relation paternelle. Elle n'avait pas été très heureuse dans sa famille. Elle avait envie d'un autre père que le sien. Mais c'est donc d'abord quelqu'un de choisi, choisi adulte... Quel âge avait-elle quand vous l'avez adoptée?

J.-P. S. – 26, 28 ans.

A. S. – Et pour vous, ce n'est pas un genre de succédané de paternité?

J.-P. S. – Non, ce serait plutôt une paternité sociale, si vous voulez. C'est-à-dire que cela me donnait certains droits lui rendant la vie plus facile. Pour moi, ce n'était pas d'ordre familial.

S. B. – Il y a eu aussi une question d'ordre pratique : Sartre souhaitait vivement quelqu'un qui puisse être son héritier légal. Pas tant pour l'argent – ça, ça n'a pas d'importance –, mais des droits sur son œuvre. Parce que c'est toujours très ennuyeux de savoir son héritage intellectuel dans les mains de vagues cousins ou de gens qui auraient des pouvoirs là-dessus, mais sans la moindre affinité avec vous. Alors là, choisir quelqu'un – beaucoup plus jeune et qui a donc de grosses chances de vous survivre – c'est aussi prendre une sorte de mesure de précaution.

A. S. – J'en reviens à votre décision de ne pas avoir d'enfant. On dit souvent, surtout s'agissant d'une femme, qu'on la regrette plus tard. Trop tard. Cela vous est-il arrivé, Simone?

S. B. – Absolument pas! Je n'ai jamais regretté de ne pas avoir d'enfant. Parce que j'ai eu beaucoup de chance, non seulement dans mes rapports avec Sartre, mais encore dans mes amitiés. Et quand je vois les relations des femmes que je connais avec leurs enfants, surtout avec leurs filles – c'est souvent atroce, je trouve – je suis au contraire vraiment heureuse d'avoir échappé à ça.

A. S. – Quelles sont les règles du jeu de votre couple? Par exemple : vous dites-vous toujours la vérité?

J.-P. S. – J'ai le sentiment d'avoir toujours dit la vérité, mais je l'ai fait spontanément. Il n'était pas nécessaire de me poser des questions. On ne se dit pas forcément les choses tout de suite. Ce peut être huit, quinze jours après. Mais enfin on se dit toujours tout. Moi du moins! Quant à elle...

S. B. – Moi aussi ! Moi aussi! Ceci dit, je pense qu'on ne peut pas non plus ériger notre exemple en règle générale. Nous, ça nous arrangeait, cette transparence. Et puis nous sommes des intellectuels, nous savons très précisément, comme Sartre l'a dit, s'il faut parler aujourd'hui ou dans huit jours, manœuvrer, etc. Mais on ne peut pas conseiller à tous les couples de toujours se dire, brutalement, la vérité. Il y a même quelquefois une manière de le faire qui la transforme en arme d'agression. Les hommes, souvent, agissent ainsi. Non seulement ils trompent leur femme, mais ils se plaisent à le leur dire. Et c'est beaucoup plus par satisfaction personnelle que pour avoir un rapport de transparence avec l'autre. Donc, je n'en ferai pas une valeur en soi. Pouvoir tout se dire, c'est une chance, mais ce n'est pas une valeur en soi.

A. S. – Pour beaucoup de gens, vous êtes « la compagne de Sartre ». Sartre n'a jamais été « le compagnon de Simone de Beauvoir ». Cette discrimination a-t-elle influencé votre relation? Vous a-t-elle irritée, dérangée, pesé?

S. B. – Mes rapports avec Sartre n'en ont pas du tout été influencés. Ce n'était pas de sa faute, après tout. Ça ne m'a pas beaucoup gênée non plus, dans la mesure où mes écrits m'ont valu une certaine reconnaissance personnelle, et des rapports très personnels avec des femmes ou même des lecteurs. Ça m'agaçait de temps en temps, bien entendu, de lire dans une critique que je n'aurais jamais rien écrit si je n'avais pas rencontré Sartre, ou que c'était Sartre qui avait fait ma carrière littéraire. Ou même – certains l'ont prétendu – que c'était Sartre qui écrivait mes livres.

A. S. – Jean-Paul Sartre, comment avez-vous réagi à ces calomnies?

J.-P. S. – Je les trouvais surtout ridicules. Je n'ai jamais protesté, parce que ce n'était que des « on-dit », pas des articles valant la peine d'être pris au sérieux. Moi, personnellement, ça m'était égal. Non que je sois un homme imbu de sa masculinité, mais parce que c'était des commérages, ça ne signifie rien. Et ça n'a jamais représenté pour notre couple une menace ou une source d'angoisse.

A. S. – Je voudrais vous poser une question banale – mais qui me paraît néanmoins importante : elle concerne votre vie pratique. Souvent, dans un couple, l'argent, les questions matérielles jouent un rôle très important. Entre vous, l'argent a-t-il eu une importance?

J.-P. S. – Entre nous, non. C'est-à-dire que ça a compté pour chacun de nous, pour nous deux, quelquefois pour nous deux ensemble : il faut bien vivre. Mais ça n'a jamais posé problème entre nous, ni influé sur nos rapports. Nous avions de l'argent, ou bien celui qui en avait partageait. Tantôt on le partageait, tantôt on vivait séparés, ça dépendait des moments.

S. B. – Quand nous étions jeunes, Sartre a fait un petit héritage de sa grand-mère – un tout petit héritage – et je n'avais aucun scrupule à ce qu'il puise dedans pour nous offrir des voyages à tous les deux. On n'a jamais eu de règles tellement strictes. A une certaine période, après la guerre, j'ai vécu deux, trois ans vraiment aux crochets de Sartre, parce que je voulais écrire. Précisément, je crois, *le Deuxième sexe.* Si j'avais pris un métier – j'avais quitté l'enseignement – je n'aurais pas pu, et Sartre avait beaucoup d'argent à cette époque. Ça ne m'a pas gênée. Il y a quelques années, il a connu un moment difficile, alors moi je l'ai dépanné. Par conséquent, il n'y a pas de problème, l'argent de l'un, c'est vraiment l'argent de l'autre, même si nous avons des budgets séparés. Je fais ce que je veux de mon argent et il fait ce qu'il veut du sien. Mais en un sens, c'est le même.

A. S. – Donc, si j'ai bien compris, c'est au moment où vous dépendiez financièrement de Sartre que vous avez écrit *le Deuxième Sexe?*

S. B. – Je ne sais plus exactement si c'est *le Deuxième Sexe,* mais voilà comment ça s'est passé. Après la guerre, j'avais quitté l'enseignement. Je pouvais y être réintégrée – je l'étais d'ailleurs en principe – mais je n'avais aucune envie de me remettre à faire des cours alors que j'avais des livres à écrire, que Sartre avait beaucoup d'argent et qu'il m'en prêterait gentiment. Nous partagions comme nous avions toujours partagé, simplement à ce moment-là il était riche, moi pas. Ça ne m'a pas du tout gênée parce que si j'avais voulu, si je m'étais brouillée avec lui, n'importe quoi, j'aurais toujours pu retrouver un poste. Donc au fond je gardais mon indépendance. J'ai pris ça comme le service d'un ami, comme un service que moi je rendrais à un ami ou une amie, et que d'ailleurs Sartre a rendu à des gens qui avaient avec lui des liens moins forts.

A. S. – Lorsqu'on a des relations aussi étroites que les vôtres, on s'influence mutuellement. Pouvez-vous me dire, Jean-Paul Sartre, ou vous, Simone, sur quels points vous vous êtes influencés?

J.-P. S. – Je dirai qu'on s'est influencé totalement.

S. B. – Moi je dirai, au contraire, que ce n'est pas une influence, mais une espèce d'osmose.

J.-P. S. – Si vous voulez. Enfin pour les cas où il ne s'agit pas seulement de littérature, mais de la vie, nous décidons toujours ensemble, chacun influençant l'autre.

S. B. – C'est ce que j'appelle une osmose. Les décisions sont prises en commun, les pensées presque développées en commun. Et puis, il y a des points sur lesquels Sartre m'a influencée : par exemple, c'est surtout lui le philosophe, et ses idées philosophiques, je les ai adoptées. Sur d'autres points, des choses sont venues de moi. Par exemple, concernant notre mode de vie, notre manière de voyager, c'est surtout moi qui l'ai imposée. Surtout quand nous n'avions pas d'argent et que ça rendait les voyages un peu difficiles. Sartre aimait bien voyager, mais n'aurait pas fait tous les sacrifices que je lui demandais – dormir dehors, marcher...

A. S. – Jean-Paul Sartre, comment avez-vous réagi? Vous avez protesté?

J.-P. S. – Oh non, je faisais ce qu'il y avait à faire.

S. B. – Oh, il avait une manière de protester bien particulière. C'est-à-dire qu'il avait des ampoules, ou des coups de fatigue... Enfin en général il faisait ce qu'il y avait à faire... Autre chose encore : ce n'est pas exactement une influence, mais je voudrais parler de notre habitude de toujours soumettre ce que nous écrivons à l'autre. Tout ce que j'ai écrit, Sartre m'en a fait la critique, et j'en ai fait autant pour presque tout ce qu'il a écrit. Et nous ne sommes pas forcément toujours d'accord. Il lui est arrivé de me dire, à propos de certains livres : Je crois que vous ne parviendrez pas à le faire, laissez... Mais moi, je m'entêtais. Et quand j'étais très jeune, je lui disais : je crois que vous devriez faire de la littérature plutôt que de la philosophie. Et lui, il s'est entêté. Heureusement! On a aussi son indépendance, à l'intérieur de cette fusion.

A. S. – Je suis un peu étonnée de vous entendre vous vouvoyer. Vous êtes tous deux – cinq ans après Mai 68 – plus ou moins engagés dans des groupements révolutionnaires où l'usage veut qu'on se tutoie. Pourquoi vous vouvoyez-vous? Et quelle signification cela a-t-il aujourd'hui pour vous?

J.-P. S. – Ce n'est pas moi qui ai commencé, c'est Simone de Beauvoir qui me disait vous. Moi je l'ai subi. Mais je m'en accommode très bien aujourd'hui. Je ne pourrais plus la tutoyer, maintenant.

S. B. – J'ai toujours eu beaucoup de mal, je ne sais pas pourquoi, à tutoyer les gens. Pourtant je disais tu à mes parents, j'aurais donc dû en être capable... Ma meilleure amie, Zaza, tutoyait toutes ses amies, sauf moi, parce que je la vouvoyais. Aujourd'hui, je vouvoie ma meilleure amie Sylvie, je vouvoie presque tout le monde sauf une ou deux personnes qui m'ont imposé le tutoiement. Mais spontanément je dis vous, et je dis vous à Sartre. Il est évident qu'après tant d'années, nous n'allions pas nous mettre soudain en 68 à jouer les révolutionnaires en nous tutoyant...

A. S. – Pensez-vous, à la lumière de votre longue expérience, avoir pu échapper, je ne dirais pas entièrement, mais dans la mesure du possible, aux rapports homme-femme traditionnels et aux comportements de rôles correspondants?

S. B. – Je crois qu'étant donné le mode de vie que nous avons choisi, je n'ai pas eu souvent à jouer le rôle féminin. J'en ai tout de même un souvenir : c'était pendant la guerre, il fallait bien que quelqu'un se charge du ravitaillement, des tickets, de faire un peu de cuisine. Bien évidemment c'est moi qui l'ai fait et pas Sartre. Il en était complètement incapable, parce que c'est un homme. Ceci dit, j'ai connu beaucoup d'hommes avec qui les choses se passaient autrement : je pense à un de nos très bons amis, qui a été élevé très différemment, a été plus ou moins boy-scout, et fait souvent lui-même son ménage. Pendant la guerre, c'est souvent avec lui que j'allais chercher de la viande aux environs de Paris, nous épluchions ensemble des haricots verts, etc. Ce n'est donc pas tellement, je crois, parce que c'était Sartre, et à cause de mon lien avec lui, que je me suis chargée de ces besognes matérielles, mais plutôt parce qu'il en était incapable. Seulement, évidemment, l'incapacité de Sartre vient de ce que toute son éducation masculine l'a tenu à l'écart de toutes les tâches ménagères. Je crois qu'il sait tout juste faire les œufs sur le plat.

J.-P. S. – Oui, c'est à peu près ça.

A. S. – Les femmes qui aimeraient connaître l'existence d'au moins une femme entièrement libérée ont parfois trouvé dans vos *Mémoires* des phrases qui les ont déçues. Par exemple quand vous parlez de vos rapports avec Olga. Vous écrivez : « J'étais agacée », ou « irritée » – quelque chose comme ça – « mais Sartre l'aimait beaucoup et donc je me suis efforcée de voir les choses à sa façon parce qu'il m'était trop nécessaire de m'accorder en tout avec Sartre ». Et je me rappelle un autre épisode. Sartre, à votre retour de la guerre, vous dîtes : « Maintenant, Simone, on va faire de la politique. » Et vous, Simone, vous écrivez : « Nous avons donc fait de la politique. »

S. B. – Ce n'est pas, je crois, parce que je suis femme que j'ai réagi ainsi. Car beaucoup de nos amis masculins, qui étaient à l'époque très embarrassés, ne savaient que faire, et ont eu la même réaction. C'est-à-dire « Ah, bon... ». C'est précisément une des qualités de Sartre : il crée toujours des possibilités – qui débouchent parfois, en fait, sur des impossibilités – mais enfin il ouvre des voies. Je n'ai pas été seule à le suivre : presque tous nos amis, plus jeunes ou même de notre âge, l'ont suivi en ce temps-là. En plus, il avait l'autorité de quelqu'un sortant d'un camp de prisonniers. Ce n'était pas tellement une question de relation homme-femme. Pour en revenir à la première phrase que vous avez citée : oui, il m'était nécessaire de m'entendre en tous points avec Sartre. Pour les choses importantes, cela m'a toujours été nécessaire. Je ne sais pas si pour vous...

J.-P. S. – Pour moi également. Absolument.

S. B. – Je crois que vous n'auriez pas accepté une grande distance entre nous.

A. S. – Jean-Paul Sartre, vous auriez pu dire la même phrase?

J.-P. S. – Oh! ma foi oui. Certainement.

A. S. – Depuis deux ans, Simone, vous êtes plus ou moins liée avec le mouvement des femmes. J'aimerais profiter de votre présence, Jean-Paul Sartre, pour vous poser une question : que pensez-vous, aujourd'hui, de la lutte autonome de libération des femmes?

J.-P. S. – Qu'entendez-vous pas « autonome »?

A. S. – Le combat politique d'organisations ou de groupes de femmes, indépendamment des hommes.

J.-P. S. – En ce qui concerne les problèmes des rapports entre hommes et femmes, je suis absolument d'accord avec Simone de Beauvoir. Pour ce qui est de l'exclusion des hommes des organisations féministes, je me suis souvent demandé si c'est nécessaire. Je ne peux pas répondre actuellement parce que je vois bien que pour les femmes, en ce moment, ça l'est. Mais je me demande si c'est la vraie forme de lutte : ne serait-il pas important, aussi, d'inclure des hommes qui pensent comme elles?

S. B. – Mais les hommes ne pensent jamais tout à fait comme les femmes!

J.-P. S. – C'est ce que vous me répétez toujours.

S. B. – Oui, parfaitement.

J.-P. S. – Vous feriez mieux de reconnaître tout de suite que vous n'avez pas confiance en moi sur ce point.

S. B. – Même vous qui, théoriquement, idéologiquement, êtes tout à fait partisan de l'émancipation des femmes, vous ne partagez pas ce qu'elles appellent – et moi de même – leur vécu de femme. Il y a des choses que vous n'arrivez pas à comprendre. Sylvie – qui est également très proche du M.L.F. – et moi, nous vous attaquons souvent là-dessus. Par exemple, ce qu'Alice disait encore récemment, qu'elle ne peut pas se promener dans les rues de Rome sans se sentir tout le temps agressée, ça ne fait pas partie de votre expérience d'homme. Et quand je vous en ai parlé, vous m'avez dit : « Moi ça ne me touche guère, ce que vous me racontez là, puisque moi je n'ai jamais agressé les femmes. »

A. S. – Ça, c'est une réponse plutôt réactionnaire. Diriez-vous : « Peu importe l'existence des classes sociales, puisque moi, Sartre, je n'ai jamais fait de mal à un ouvrier ? » Jamais vous n'oseriez dire cela.

J.-P. S. – Mais ce n'est pas tout à fait la même chose.

S. B. – Ce n'est pas tellement éloigné. Quelle que soit leur bonne volonté, les hommes ont beaucoup de peine à comprendre l'agression subie par les femmes. Surtout ceux de la génération de Sartre. Car j'en connais de plus jeunes – dans les 35 ans – qui, eux, y sont très sensibles, du moins s'agissant de femmes de leur génération. Mais je crois qu'il y a encore autre chose : moi, quand j'étais jeune, je n'ai jamais été victime de telles agressions – apparemment, les hommes ont changé. L'émancipation des femmes, me semble-t-il, a accru leur hostilité à leur égard. Ils sont devenus plus agressifs, plus entreprenants, plus ironiques, plus odieux qu'ils ne l'étaient de mon temps.

A. S. – Vous avez dit, Jean-Paul Sartre, que, sur la question des femmes, vous êtes, sur le plan théorique, d'accord avec Simone de Beauvoir. Vous admettez donc l'existence d'une oppression spécifique, exercée à la fois par le système et par les hommes. Si je ne me trompe, votre théorie et votre pratique politiques vous conduisent, en général, à donner raison aux opprimés. En d'autres termes, vous ne vous permettriez jamais de dire à un ouvrier comment agir ou s'organiser. Comment se fait-il alors que, s'agissant des femmes, vous n'ayez pas la même attitude ?

J.-P. S. – Je voudrais préciser, tout d'abord, que Castor [1] exagère lorsqu'elle dit que, parce que je suis un homme, je n'ai aucune expérience de l'humiliation subie par les femmes. Chaque fois que les femmes de mon entourage me racontent qu'elles ont été, dans la journée, victimes de quelque persécution de ce genre, ça me touche, et j'en suis indigné. Par conséquent, si je ne peux pas avoir exactement leur expérience, j'ai celle de

1. Tous ses vieux amis appellent Simone de Beauvoir ainsi.

quelqu'un qui voit des personnes aimées objet de traitements assez désagréables. Voilà ce que je peux dire sur la question. Mais que me demandez-vous exactement?

A. S. – Il existe depuis cinq ans, en Amérique comme dans d'autres pays occidentaux – y compris la France – des groupes de femmes qui se considèrent comme appartenant à des mouvements révolutionnaires. Elles ont tiré les conséquences de leur vécu, du fait que les femmes sont intimidées en présence des hommes, même – il y en a – des hommes de bonne volonté. Il existe de fort subtiles structures de domination dont les femmes ne peuvent se libérer en présence des hommes! C'est pourquoi j'insiste : je m'étonne, Jean-Paul Sartre, que vous n'ayez pas une idée, une réponse plus précise concernant cette revendication des femmes, leur droit à un groupement politique spécifique. Au stade actuel de la lutte, s'entend. Ce n'est pas un but en soi.

J.-P. S. – D'abord, je crois, en effet, à une persécution des femmes et à l'effort des hommes pour les traiter comme « le Deuxième Sexe », selon la formule de Simone de Beauvoir. Et je reconnais la nécessité de groupes de femmes de ce genre. J'ai simplement dit qu'à mon avis leur refus de la mixité n'est pas toujours justifié. Il pourrait y avoir des séances où les hommes seraient admis à participer. Je considère que les femmes sont en effet, si vous voulez, des opprimées d'une espèce spéciale, un peu particulière. Cela n'a rien à voir avec les ouvriers. Et d'ailleurs les types d'oppression ne coïncident pas.

Les ouvriers sont opprimés d'une certaine façon, les femmes le sont à leur manière, même lorsqu'elles ne sont pas ouvrières! Ni les formes ni la mesure de l'oppression ne sont identiques. Je considère, par conséquent, que le rapport femme-homme, ou homme-femme, comme vous voulez, est en effet un rapport d'oppression. Mais je ne vois pas ce que je peux faire de plus que de dénoncer cet état de choses.

S. B. – Il faut dire, à ce propos, qu'il a mené une assez bonne campagne auprès de ses amis de *Libération* : par exemple, pour les persuader d'engager des femmes à la rédaction, de s'occuper de problèmes féminins. Ils ont d'ailleurs fait de très bons papiers sur l'avortement. Sartre a même entrepris de les guérir de leur machisme – il lutte contre le machisme de ses jeunes camarades. Car, pour être d'extrême-gauche, la plupart d'entre eux n'en sont pas moins machos. A des degrés divers, et plus ou moins subtilement.

Rome, 1973

Le Deuxième Sexe
trente ans après

A. S. – Cinq ans ont passé depuis que vous avez déclaré publiquement être féministe.

Depuis, beaucoup de choses se sont passées. En 1971, vous avez fait partie des femmes qui se sont accusées publiquement d'avoir avorté. Depuis, vous avez participé à un certain nombre d'actions, de manifestations féministes. Quelle est aujourd'hui votre relation avec les jeunes féministes?

S. B. – Ce sont des rapports personnels avec des femmes, pas avec des groupes ou des tendances. Je travaille avec elles sur des sujets précis. Par exemple à la rédaction des *Temps Modernes,* où nous écrivons régulièrement une page sur le « sexisme quotidien ».

Je préside aussi la Ligue du droit des femmes et je soutiens les tentatives en vue de créer des refuges pour les femmes battues. Je ne suis donc pas militante dans le sens strict du terme – je n'ai pas 30 ans, j'en ai 67, et je suis une intellectuelle dont les armes sont les mots – mais je suis à l'écoute et au service du M.L.F.

Ce projet pour les femmes battues, je le trouve particulièrement important parce que, comme celui de l'avortement, le problème de la violence concerne presque toutes les femmes – indépendamment de leur classe sociale. Il déborde les frontières de classe. Les femmes sont battues aussi bien par des maris juges ou magistrats que par des ouvriers. Donc, nous avons créé un « S.O.S. Femmes battues » et nous essayons de créer des maisons, pour donner, au moins provisoirement, un abri d'une nuit ou de quelques semaines à une femme et à ses enfants, si elle ne peut pas rentrer chez elle parce qu'elle risque d'être battue par son mari, parfois à mort.

A. S. – Vous avez appris beaucoup aux nouvelles féministes. Est-ce qu'elles vous ont appris quelque chose?

S. B. – Oui! Beaucoup de choses! Elles m'ont radicalisée dans beaucoup de mes points de vue. Moi, je suis plus ou moins habituée à vivre dans ce monde où les hommes sont ce qu'ils sont : des oppresseurs. Moi-même, je n'en ai pas trop souffert. J'ai échappé à la plupart des servitudes de la femme : celle de la maternité, de la vie ménagère.

D'autre part, professionnellement, à mon époque, il y avait moins de femmes qui poussaient leurs études. Réussir une agrégation de philosophie, c'était se situer comme privilégiée parmi les femmes. Du coup, je me suis fait reconnaître par les hommes. J'étais la femme exceptionnelle et je l'ai accepté.

Les féministes, aujourd'hui, refusent d'être des femmes-alibis, comme je l'étais. Elles ont raison, il faut lutter! Ce qu'elles m'ont enseigné en gros, c'est la vigilance. Qu'il ne faut rien laisser passer. Même pas les petites choses, ce sexisme dont on a tellement l'habitude. Ça commence dans la grammaire où le masculin l'emporte toujours sur le féminin.

A. S. – Les hommes de gauche ont tellement intériorisé leur complexe de supériorité (comme vous l'avez dit une fois), qu'ils continuent de traiter les féministes, qui se sont toujours considérées comme faisant partie de la gauche, de « petites-bourgeoises » et de « réactionnaires ». D'après eux, la lutte des sexes n'est qu'une « contradiction secondaire » et divise la lutte des classes qui est, elle, la contradiction primordiale.

S. B. – Ils ne peuvent presque pas faire autrement. Les gauchistes aussi sont des pachas. Ils ont ça dans le sang... C'est encore une grande mystification créée par les hommes. La contradiction femme-homme est aussi primordiale et aussi fondamentale que n'importe quelle autre. C'est tout de même la moitié de l'humanité contre l'autre moitié. Cela me semble aussi important que la lutte des classes. Tout cela est très complexe. Il faut que le MLF trouve le lien entre les deux.

De toute manière, maintenant, sur beaucoup de plans, cette notion de la priorité de la lutte des classes est très discutée, même à gauche. Parce qu'on observe des types de luttes qui ne se placent plus sur ce terrain. La lutte des travailleurs immigrés par exemple, la lutte des soldats dans les casernes en France, la lutte pour l'auto-nomie des régions, la lutte des jeunes... Et en particulier, la lutte des femmes, qui traverse toutes les classes.

Bien sûr, l'oppression des femmes prend, selon leur appartenance de classe, des formes différentes. Il y a des femmes qui sont victimes de deux côtés : ouvrières elles-mêmes et femmes d'ouvriers. D'autres qui ne subissent que leur oppression de femme en tant que mères et femme au foyer. Mais même des bourgeoises, quand leur mari les lâche, tombent dans le prolétariat : elles sont sans profession, sans qualification, sans fortune propre... Le nier, c'est encore une ruse des mâles pour situer les luttes entre les hommes. Les femmes, on leur demande au maximum un coup de main de temps en temps. C'est un peu comme le rapport entre noirs et blancs.

A. S. – *Le Deuxième Sexe,* qui reste en quelque sorte la bible du féminisme (rien qu'en Amérique on en a vendu plus d'un million d'exemplaires) était donc à l'origine un travail purement intellectuel et théorique. Quelles ont été les réactions au moment de sa sortie, en 1949 ?

S. B. – Très violentes ! Très très hostiles contre le livre et contre moi-même.

A. S. – De la part de qui ?

S. B. – De la part de tout le monde. Nous avions peut-être commis une maladresse en publiant, avant la sortie du livre, le chapitre sur la sexualité dans les *Temps*

Modernes. Ça a déclenché la tempête. D'une grossiè-
reté... Mauriac par exemple écrivait à un ami qui travaillait à l'époque avec nous, aux *Temps Modernes :*
« Ah, je viens d'en apprendre long sur le vagin de votre
patronne... »

Et Camus qui à l'époque était encore un ami, m'avait
dit : « Vous avez ridiculisé le mâle français ! » Des professeurs ont jeté le livre à travers leur bureau tellement
sa lecture leur était insupportable.

Et quand j'allais au restaurant, à la Coupole par
exemple, habillée de manière plutôt féminine, comme
c'est mon genre, les gens me regardaient et disaient :
« Ah bon, c'est elle... je croyais que... Alors, c'est qu'elle
joue sur les deux tableaux. » Parce qu'à l'époque, j'avais
une réputation de lesbienne. Une femme qui osait écrire
de telles choses, elle ne pouvait être « normale ».

Les communistes aussi m'ont mis en pièces. Ils m'ont
traitée de « petite-bourgeoise » et m'ont expliqué : « Vous
comprenez, les ouvrières de Billancourt, elles s'en
balancent pas mal de tout ce que vous leur racontez. »
Ce qui est absolument faux. Je n'avais pour moi ni la
gauche ni la droite.

A. S. – Certains sont même allés jusqu'à dire que ce
n'était pas vous, mais Sartre qui avait écrit votre livre [1].
Et en tout cas, même vous, pour l'opinion publique,
dominée par les hommes, vous êtes toujours restée cet
« être relatif » que vous dénoncez dans *le Deuxième
Sexe,* la femme qui n'existe qu'en relation à l'homme,

1. Inexact. On ne l'a pas dit pour ce livre-là.

la « compagne de vie » de Sartre. Traiter Sartre de
« compagnon de vie de Beauvoir », cela aurait été impensable.

S. B. – Exact. Surtout en France, ils étaient vraiment
déchaînés. A l'étranger, cela allait mieux, parce qu'avec
une étrangère, on se permet plus facilement d'être tolérant. C'est loin, donc, c'est moins dangereux...

A. S. – Je sais que depuis presque trente ans vous
recevez chaque jour des lettres de femmes du monde
entier. Pour beaucoup d'entre elles, vous, Simone, avez
été, avant même la nouvelle lutte collective des femmes,
une idole et vous restez l'incarnation de notre révolte.
Cela est dû sans doute à l'ensemble de votre analyse
approfondie de la situation des femmes et aussi à vos
romans autobiographiques, parce qu'ils ont montré une
femme qui osait exister. Avez-vous appris quelque chose
de nouveau à travers ces lettres?

S. B. – J'ai appris l'immensité de l'oppression! Il y a
des femmes qui sont véritablement séquestrées. Et ce
n'est pas rare. Qui m'écrivent en cachette, avant que le
mari ne rentre. Les lettres les plus intéressantes sont
celles de femmes de 35 à 45 ans qui se sont mariées,
ont jugé cela très bien, et qui se retrouvent maintenant
complètement désemparées... Elles me demandent :
« Qu'est-ce que je peux faire? Je n'ai même pas de
métier : Je n'ai rien, je ne suis rien. »
   A 18 ans, 20 ans, on se marie par amour, et puis on
se réveille à 30 ans – et pour s'en sortir, c'est alors très,

très difficile. Cela aurait bien pu m'arriver à moi-même, c'est pourquoi je suis spécialement sensible à cette situation.

A. S. – Il est toujours très délicat de donner des conseils. Mais si une femme vous demande...

S. B. – Je crois qu'il ne faut pas qu'une femme se laisse prendre au piège des enfants et du mariage. Même si une femme a envie d'avoir des enfants, elle doit bien réfléchir aux conditions dans lesquelles elle devra les élever, parce que la maternité, actuellement, est un véritable esclavage. Les pères et la société laissent aux femmes, et à elles seules, la responsabilité des enfants. Ce sont les femmes qui arrêtent de travailler pour élever les enfants. Ce sont les femmes qui restent à la maison quand les enfants sont malades. Ce sont elles les responsables quand l'enfant échoue.

Et si une femme veut quand même un enfant, il vaudrait mieux qu'elle l'ait sans se marier, parce que le mariage, c'est le plus grand piège.

A. S. – Mais celles qui sont déjà mariées, ou déjà mères?

S. B. – J'avais dit, dans une interview avec vous, il y a quatre ans, qu'une femme à la maison de plus de 35 ans était déjà plus ou moins fichue. Après, j'ai reçu beaucoup de lettres très sympathiques de ces femmes-là, me disant : « Mais ce n'est pas vrai du tout! Nous pouvons encore très bien nous défendre. » Tant mieux. Mais en tout cas, il faut qu'elles essaient de trouver un travail rémunéré pour avoir une certaine autonomie, une certaine indépendance.

A. S. – Et le travail ménager? Est-ce que les femmes devraient refuser de faire davantage que l'homme à la cuisine et dans l'éducation des enfants?

S. B. – Oui. Mais cela ne suffit pas. Dans l'avenir, on devrait trouver d'autres façons d'accomplir les tâches ménagères. Qu'elles ne soient pas faites seulement par les femmes, mais par tout le monde, et surtout qu'elles ne soient plus faites dans l'isolement.

Je ne pense pas à des services spéciaux comme ils ont existé à un certain moment en U.R.S.S. Cela me semble dangereux, parce que le résulat est une division du travail encore plus poussée, on a des gens qui balaient toute leur vie ou repassent toute leur vie. Ce n'est pas une solution.

Ce que je trouve très bien, est ce qui semble exister dans certains endroits en Chine : tout le monde – hommes, femmes, même les gosses – se groupe un certain jour pour faire du travail ménager une activité publique qui peut devenir gaie. Par exemple, tout le monde se met à faire ensemble la lessive. Ou le nettoyage. Ou je ne sais quoi.

Il n'y a pas de tâche qui soit humiliante. Toutes les tâches se valent. Mais c'est l'ensemble du travail dans lequel telle tâche est enserrée, ce sont les conditions qui sont humiliantes. Laver les carreaux, pourquoi pas? Cela a autant de valeur que taper à la machine! Mais c'est la manière dont une femme se trouve cantonnée dans le lavage des carreaux qui est avilissante.

La solitude, l'ennui, la non-productivité, la non-intégration à la collectivité : c'est ça qui est mauvais. Et cette division entre le travail du dehors et celui du dedans... Tout devrait être un travail dehors, dans un sens !

A. S. – On parle dans certains partis, comme dans certains courants du mouvement des femmes, d'un éventuel salaire pour les femmes au foyer.

S. B. – Je suis tout à fait contre, évidemment. Peut-être, dans l'immédiat, des femmes qui demeurent à la maison et qui n'ont pas d'autres possibilités seraient bien contentes de percevoir un salaire. On le comprend. Mais, à long terme, cela encouragerait les femmes à croire qu'être ménagère, c'est un métier, c'est une manière acceptable de vivre. Or, c'est justement cela, cette condamnation à vie au ghetto du ménage, cette division entre travail masculin et travail féminin, travail au-dehors et travail au-dedans que les femmes doivent rejeter si elles veulent devenir des êtres humains à part entière. Donc je suis contre le salaire pour les femmes au foyer.

A. S. – L'argumentation de certaines femmes est qu'en demandant un salaire, on pourrait créer le sentiment que le travail ménager a aussi une valeur.

S. B. – D'accord. Mais à mon avis, ce n'est pas le bon moyen. Pour y parvenir, il faut changer les conditions du travail ménager. Sinon cette valeur restera liée à l'enfermement de la femme qu'à mon avis on doit refuser. Il faut faire partager ce travail par les hommes et l'accomplir au grand jour. L'intégrer à des communautés, à des collectivités où tout le monde travaille ensemble. C'est ainsi que cela se passe dans certains peuples primitifs, d'ailleurs, où la famille n'est pas synonyme d'enfermement. Il faut faire éclater le ghetto familial.

A. S. – Vous-même, Simone, vous avez résolu ce problème individuellement. Vous n'avez pas d'enfant et vous ne vivez pas avec Sartre. Donc, vous n'avez accompli de travaux ménagers ni pour un homme ni pour une famille. Vous avez été souvent attaquée pour votre position envers la maternité, et par des femmes. Elles vous reprochent de refuser la maternité.

S. B. – Ah non! Je ne la refuse pas! Je pense seulement qu'aujourd'hui c'est un drôle de piège pour une femme. C'est pourquoi je conseillerais à une femme de ne pas devenir mère. Mais je n'en fais pas un jugement de valeur. Ce qui est à condamner, ce ne sont pas les mères, mais l'idéologie qui incite toutes les femmes à devenir mères, et les conditions dans lesquelles elles doivent l'être.

S'ajoute à cela une mystification redoutable du rapport mère-enfant. Je pense que si les gens mettent tellement l'accent sur la famille et les enfants, c'est que dans l'ensemble ils vivent dans une grande solitude : ils n'ont pas d'amis, pas d'amour, pas de tendresse, personne. Ils sont seuls. Alors, ils font des enfants pour avoir quelqu'un. Et c'est atroce. Aussi pour l'enfant. On en fait un bouche-trou. Et en tout cas, dès que l'enfant est grand, il se tire. Il ne constitue nullement une garantie contre la solitude.

A. S. – On vous l'a demandé souvent : « Regrettez-vous aujourd'hui de ne pas avoir eu un enfant ? »

S. B. – Ah ! Non ! Je m'en félicite chaque jour. Quand je vois ces grands-mères qui, au lieu d'avoir un peu de temps pour elles-mêmes, sont obligées de garder leurs petits-enfants. Cela ne leur fait pas toujours plaisir...

A. S. – Quel rôle joue à votre avis la sexualité, telle qu'elle est conçue aujourd'hui, dans l'oppression des femmes ?

S. B. – Je pense que la sexualité peut être un piège épouvantable. Il y a les femmes qui sont rendues frigides – mais ce n'est peut-être pas le pire pour elles. Le pire, c'est pour les femmes de trouver un tel bonheur dans la sexualité qu'elles deviennent plus ou moins les esclaves des hommes, ce qui renforce la chaîne qui les attache à leur oppresseur.

A. S. – Si je comprends bien, la frigidité vous semble être, dans l'état de malaise que crée actuellement le rapport de force entre hommes et femmes, une réaction à la rigueur plus prudente et raisonnable, parce qu'elle reflète ce malaise, et rend les femmes moins dépendantes des hommes.

S. B. – Exactement.

A. S. – Il y a des femmes du M.L.F. qui, dans ce monde dominé par les hommes, refusent de continuer à partager leur vie privée avec les hommes, donc d'avoir des rapports sexuels et émotionnels avec eux. C'est-à-dire des femmes qui font de l'homosexualité féminine une stratégie politique. Qu'en pensez-vous?

S. B. – Je comprends très bien ce refus politique du compromis. Justement pour la raison que je citais. L'amour peut être un piège qui fait accepter aux femmes beaucoup de choses.

Mais cela ne me semble juste que dans les circonstances actuelles. En soi, l'homosexualité est aussi limitante que l'hétérosexualité : l'idéal devrait être de pouvoir aussi bien aimer une femme qu'un homme, n'importe, un être humain, sans éprouver ni peur, ni contrainte, ni obligations.

A. S. – Votre phrase la plus célèbre est : « On ne naît pas femme, on le devient. » Aujourd'hui, on peut prouver scientifiquement cette « fabrication des sexes » dont le résultat est que hommes et femmes sont très différents : ils pensent de manière différente. Ils ont des émotions différentes, ils marchent de manière différente. Ils ne sont pas nés ainsi, mais le sont devenus. C'est le résultat de leur éducation et de leur vie quotidienne.

Sur le constat de cette différence, à peu près tout le monde est d'accord. Mais cette différence n'est pas seulement une différence : elle implique en même temps une infériorité. Alors, il est doublement remarquable qu'avec la nouvelle révolte des femmes apparaisse une « renaissance » du féminin éternel, une mystification du féminin en somme. C'est ce que chante par exemple Jean Ferrat dans son dernier succès : « La femme est l'avenir de l'homme. » Et même dans le mouvement des femmes, certains groupes brandissent ces slogans.

S. B. – Je pense qu'aujourd'hui certains défauts masculins sont absents chez les femmes. Par exemple, le grotesque masculin, cette façon de se prendre au sérieux, avec vanité, de se croire important. Remarquez, les femmes qui font une carrière masculine peuvent très bien adopter aussi ces défauts. Mais tout de même, elles gardent toujours un petit coin d'humour, de distance par rapport aux hiérarchies.

Et cette manière d'écraser les concurrents : en général, les femmes n'agissent pas comme cela. Et la patience qui est, jusqu'à un certain point une qualité – après, elle devient un défaut – c'est aussi une caractéristique des femmes. Et l'ironie, un sens du concret aussi, parce que les femmes sont plus implantées dans la vie de tous les jours.

Ces qualités « féminines » proviennent donc de notre oppression, mais elles devraient être conservées après la libération. Et les hommes aussi devraient les acquérir. Mais il ne faut pas exagérer dans l'autre sens. Dire que la femme a des liens spéciaux avec la terre, le rythme de la lune, des marées, etc. Qu'elle a plus d'âme, qu'elle est moins destructrice par nature, etc.

Non, s'il y a quelque chose de vrai dans tout cela, ce n'est pas en fonction de notre nature, mais de nos conditions de vie.

Les petites filles « si féminines » sont fabriquées ainsi, et pas nées ainsi. De nombreuses études le prouvent. A priori, une femme n'a pas de valeur spéciale parce qu'elle est une femme. Ce serait du biologisme le plus rétrograde, en contradiction totale avec tout ce que je pense.

A. S. – Alors, que signifie cette renaissance du « féminin éternel »?

S. B. – Quand les hommes nous disent : « Mais restez donc sagement des femmes. Laissez-nous toutes ces choses assommantes : le pouvoir, les honneurs, les carrières... Contentez-vous d'être là, liées à la terre, occupées de tâches humaines... » Alors, c'est très dangereux! D'un côté, c'est bien qu'une femme n'ait plus honte de son corps, de sa grossesse, de ses règles. Qu'elle fasse connaissance de son corps, je trouve cela excellent.

Mais il ne faut pas non plus en faire une valeur et croire que le corps féminin vous donne une vision neuve du monde. Ce serait ridicule et absurde, ce serait en faire un contre-pénis. Les femmes qui partagent cette croyance retombent dans l'irrationnel, dans le mystique, le cosmique. Elles font le jeu des hommes qui pourront ainsi mieux les opprimer, mieux les écarter du savoir et du pouvoir.

L'éternel féminin est un mensonge, car la nature joue un rôle infime dans le développement d'un être humain :

nous sommes des êtres sociaux. Parce que je ne pense pas que la femme est naturellement inférieure à l'homme, je ne pense pas non plus qu'elle lui soit naturellement supérieure.

Paris, 1976

Ce que je dirais maintenant si je devais récrire mes mémoires

A. S. – Vous êtes pour nous la femme qui a analysé dans *le Deuxième Sexe* la situation des femmes et aussi celle qui a étudié *la Vieillesse* – c'est le titre d'un de vos ouvrages. Maintenant, vous avez 70 ans. Vous êtes vous-même vieille selon vos propres critères. Comment vous sentez-vous?

S. B. – Comme toujours. Ce n'est pas parce que nous fêtons aujourd'hui mon anniversaire que ce jour compte plus qu'un autre. Je sais que 70 ans c'est un chiffre rond. Mais il ne pèse pas davantage que 69 ou 68 ou 60... Il y a très longtemps que je me suis rendu compte que je n'étais plus jeune. Quand j'ai eu 50 ans, cela m'a fait un choc d'entendre des jeunes femmes chuchoter : « Ah bien! Simone de Beauvoir, c'est une vieille. » Ou d'autres qui me disaient : « Oh! mon Dieu, vous me rappelez tellement ma mère... » Maintenant, j'en ai 70, et je suis habituée depuis vingt ans à ne plus être jeune, à ne plus me penser comme jeune. Comme par ailleurs j'ai très peu d'images de moi et que je pense peu à moi-même, et beaucoup plus à ce qui m'entoure, cela ne me fait absolument rien.

A. S. – C'est ce que j'ai compris à la lecture de vos *Mémoires* et en voyant vos photos. Si donc on peut parler d'un choc de la vieillesse, c'est plutôt dans vos années cinquante qu'il a eu lieu.

S. B. – Exactement. Parce que cela coïncidait avec une période sombre de l'histoire de la France. C'était l'époque de la guerre d'Algérie. J'étais accablée par le cours des événements. Je pensais qu'à la fois je vieillissais et que les perspectives politiques étaient lugubres. Tout cela a donné la fin assez triste et désabusée de *la Force des choses*. Mais depuis, je me suis habituée à tout cela...

A. S. – Vous avez écrit la phrase : « J'ai été flouée » qui a été très critiquée, surtout par des femmes. Pour elles, en effet, en tant qu'auteur du *Deuxième Sexe,* vous êtes devenue une sorte de symbole de leur émancipation. Dès lors, beaucoup attendent de vous une sorte d'optimisme professionnel.

S. B. – C'est tout à fait ça.

A. S. – Dans *la Vieillesse,* vous décrivez la « dignité » qu'on attend des vieux comme un facteur de leur oppression. C'est la même chose pour les femmes. Au nom de leur dignité, on veut leur interdire les passions et la révolte. Mais vous, vous ne vous êtes pas pliée à cette attente. Seriez-vous une « vieille dame indigne » ?

S. B. – Non, pas du tout. La « vieille dame indigne » de Brecht, c'est une femme qui toute sa vie a refoulé ses désirs, et qui, devenue vieille, se déchaîne. Moi, finalement, je me suis toujours déchaînée, tant que j'ai pu. J'ai toujours suivi mes goûts, mes impulsions, ce qui fait que je ne me suis jamais brimée et qu'aujourd'hui je n'ai pas de revanche à prendre sur mon passé.

A. S. – Dans vos *Mémoires,* y a-t-il des choses dont vous n'avez pas parlé et que vous diriez si vous deviez aujourd'hui les récrire?

S. B. – Oui. Je ferais un bilan très franc de ma sexualité. Mais alors, vraiment sincère, et cela d'un point de vue féministe. Aujourd'hui, j'aimerais dire aux femmes comment j'ai vécu ma sexualité, parce que ce n'est pas une question individuelle, mais politique. A l'époque je ne l'ai pas fait parce que je n'avais pas compris la dimension et l'importance de cette question, ni la nécessité de la franchise individuelle. Mais probablement n'en parlerai-je jamais. C'est que, dans ce genre de confession, je ne serais pas seule à être concernée, mais aussi des personnes qui me sont très proches.

A. S. – Vivre sa sexualité est interdit aux vieux, au nom d'un tabou comparable à celui qui pèse sur les femmes. La fonction de cette censure est analysée dans *la Vieillesse.* Vous-même, comment avez-vous réagi? Vous êtes-vous soumise à ce tabou?

S. B. – En quelque sorte, je me suis toujours soumise. Pas aux tabous, mais à la tête. Parce que je pense

que la tête chez moi est plus forte que le corps. Peut-
être par une sorte d'hystérie, dans les cas où il n'y
avait pas de vie sexuelle possible, je n'avais pas de
désirs sexuels. Je n'en avais que dans la mesure où
ces désirs pouvaient être réalisés. Et quand cela était
exclu, pour une raison ou pour une autre, je n'avais
pas de désirs.

Il faut dire que pour moi, la sexualité a toujours
été liée à l'amour, sauf peut-être quand j'étais très
jeune. A 12 ans je me disais : « Mon Dieu, dire qu'il
faut attendre d'avoir 15 ans pour être mariée ! » Cela
me paraissait terrible ! Là, j'étais en proie à un déchaî-
nement sexuel très violent, sans savoir de quoi il
s'agissait. Je sentais quand même vaguement qu'il me
fallait un corps, des caresses, quelque chose... Mais
cela a été à peu près la seule période de ma vie où
j'ai eu une sexualité à vide.

Aujourd'hui, c'est absolument fini. Il y a quelque chose
dans mon corps qui est mort. Tant mieux d'ailleurs.
Parce que si je pense à ces femmes âgées qui frémissent
encore sexuellement, je ne les blâme pas, mais je me dis
qu'elles doivent avoir bien des emmerdements.

A. S. – Dans *la Vieillesse* vous parlez avec un certain
dégoût du corps des personnes âgées. Éprouvez-vous
cette même répulsion pour votre propre corps ?

S. B. – Vous savez, je n'ai jamais été très narcissique
et je n'ai jamais eu beaucoup de complaisance pour mon
propre corps. Alors, évidemment, peut-être en ai-je encore
moins aujourd'hui.

A. S. – Vous avez toujours été une très belle femme, selon les critères masculins. Est-ce que cela vous a fait quelque chose de perdre cette beauté ?

S. B. – Oh! je n'ai jamais beaucoup misé sur la beauté. Des gens m'ont dit gentiment que je leur plaisais. De temps en temps, quand je me regardais dans la glace, à 30, 35, 40 ans, je ne me trouvais pas si mal que ça. Mais cela n'a jamais été pour moi une fascination, comme pour certaines femmes qui ont tout bâti sur la beauté et pour qui vieillir est dramatique. Cela a tout de même été très secondaire, et j'ai toujours pensé que la tête seule était importante.

Cela dit, j'avais malgré tout une certaine complaisance à l'égard de mon visage. Et quand à 50, 52 ans, je l'ai comparé à celui de 40 ans et que j'ai vu la différence qui intervient à ce moment-là, je n'ai pas été très heureuse. Mais je m'y suis habituée, et vous pensez bien que la question ne se pose plus.

A. S. – Dans *la Vieillesse,* vous parlez de la contradiction entre l'état objectif de la vieillesse, et le sentiment subjectif que l'on en a. Vous dites : « On se sent jeune dans un corps vieux. »

S. B. – Certainement, je pense qu'il y a là un décalage. Sartre a très bien défini la vieillesse comme ce qu'il appelle un « irréalisable ». C'est quelque chose qui existe pour les autres, mais qui, finalement, n'existe pas tellement pour vous. Quand je me réveille, quand je marche, quand je lis un livre, je ne pense jamais que j'ai un âge.

En fait, je pense que je suis sans âge, tout comme on l'est quand on est jeune. Mais il y a des moments où, au contraire, on le saisit. J'en ai parlé dans *les Mandarins,* lorsque l'héroïne commence à se dire : « J'ai un âge », et dans *la Force des choses* également. Mais maintenant, je ne me le dis plus, je le sais. Ce sentiment est entré dans mes habitudes, dans mon corps. Et pourtant, je ne me ressens pas comme vieille. Cocteau a fort bien exprimé cela en disant : « Le pire quand on vieillit, c'est qu'on reste jeune. »

A. S. – Mais la vieillesse n'a-t-elle pas modifiée votre existence quotidienne?

S. B. – Oui. C'est un peu difficile à expliquer. Mais ce que je peux dire, c'est que je me sens moins forte qu'auparavant. Quand j'avais 30 ans, dès que j'ouvrais l'œil, j'étais dehors, à courir, à travailler, à faire des choses. Maintenant, j'aime bien m'attarder un peu, me reposer. J'aime dans la journée rester étendue, lire, être tranquille. Et puis il y a des choses aujourd'hui qui n'ont même plus de sens, plus d'attrait pour moi, alors que je les ai tant aimées quand j'avais 40 ans. Par exemple, sortir. Les soirées où l'on buvait et où l'on traînait entre camarades.

Je pense en particulier à l'après-guerre, où nous étions encore relativement jeunes et que nous fêtions la Libération. Nous formions des tas de projets en commun. Ça, c'était une chose très forte et très joyeuse. Mais maintenant, les circonstances ne s'y prêtent plus tellement et je sens très bien que mon corps lui-même ne s'y prête plus. Auparavant, dès que je me réveillais, je me précipitais à ma table de travail. Je n'avais pas encore avalé une tasse de thé, que j'étais déjà en train d'écrire. Ça me passionnait, c'était une vie très agréable.

Maintenant, j'ai l'impression de ne plus avoir tellement de chose à faire. En un sens, cela me plaît. Cela me donne des loisirs, une certaine liberté. Je peux vivre davantage, je ne dirais pas selon mon caprice, mais suivant l'agrément de l'heure. Je suis moins braquée sur le futur que je ne l'étais autrefois. En même temps, je le regrette, parce que cela signifie que l'on sent vraiment un avenir devant soi. C'est tout de même, à mon avis, le moment le plus éblouissant de la vie. Quand on a entre 30 et 50 ans. Qu'à la fois le tracé de sa vie est fait et que l'on n'est pas encombré par les problèmes de carrière, de famille qu'ont les jeunes. Qu'on est libéré, que l'on a des tas de choses à faire devant soi. Mais l'âge, c'est un passage de l'infini au fini. On n'a plus d'avenir, et c'est le pire.

A. S. – Le fait d'avoir déjà toute une œuvre derrière vous, d'avoir fait tant de choses, ne vous facilite-t-il pas votre vieillesse ?

S. B. – Certainement. Cela me la facilite, mais cela l'aggrave en même temps. Je me dis : « Bon, je peux encore écrire un ou deux livres, mais finalement, le gros de mon œuvre est derrière moi. »

A. S. – Maintenant quels sont vos projets ?

S. B. – Actuellement, ce qui m'intéresse, ce qui m'amuse, c'est quelque chose que je n'ai jamais fait jusqu'ici : la réalisation cinématographique de mes livres. Donc, pas exactement des nouveautés, mais une manière différente d'approcher le public, à travers ce que j'ai déjà écrit. Comme cela a été fait avec *la Femme rompue,* par exemple. Et il est question de réaliser une grande série sur *les Mandarins.* Au fond, il y a chez moi maintenant le désir de reprendre mes propres œuvres et de leur donner un sens nouveau, afin d'atteindre le public qui lit peu mais regarde la télévision. C'est-à-dire un public différent de celui que j'ai toujours eu. Peut-être en aurai-je assez, mais pour l'instant, cela m'intéresse.

Et puis, il y a une autre chose que j'aimerais beaucoup faire si j'avais aujourd'hui 30 ou 40 ans : c'est un travail sur la psychanalyse. Pas en repartant de Freud, mais en retraçant le chemin d'un point de vue féministe : selon le regard d'une femme et non celui d'un homme. Je ne le ferai pas. Je n'ai pas assez de temps devant moi. Ce sera le travail d'autres femmes.

A. S. – Je voudrais revenir sur *la Vieillesse.* Vous avez écrit ce livre à 60 ans, au seuil de votre propre vieillesse, et vous y donnez de nombreux exemples d'écrivains, d'artistes aux prises avec leur vieillesse. Était-ce une façon d'apprivoiser ce qui vous attendait?

S. B. – Non, ce n'est pas tout à fait ça. Il est vrai que ce sujet m'intéressait dans la mesure où j'allais moi-même devenir une femme âgée. Mais ce n'est pas tellement cela qui m'a poussée à écrire ce livre. Le problème était dans l'air, ce n'est pas moi qui l'ai inventé. Les gens vivent beaucoup plus longtemps qu'auparavant, et les conditions d'existence des vieux sont véritablement épouvantables. Je connaissais d'assez près leurs problèmes économiques et sociaux grâce à des amies assistantes sociales et par tout ce qu'on lit. J'éprouvais beaucoup de peine et de sympathie pour les vieux. Je voulais en parler.

Mais en même temps, naturelllement, j'étais curieuse de voir comment des gens âgés du même milieu que moi, disons des écrivains, des artistes, avaient vécu ce moment de leur vie. C'est d'ailleurs la partie du livre qui m'a le plus amusée. Reprendre ce que des vieux ont écrit sur leur propre vieillesse, voir comment ils l'ont ressentie.

A. S. – Le fait d'avoir analysé la vieillesse a-t-il eu des conséquences sur votre propre vie?

S. B. – Non.

A. S. – C'est curieux. Prendre conscience de sa situation la modifie. Par exemple, prendre conscience de sa condition de femme rend la vie plus facile parce qu'on ne se sent plus seule, et plus difficile parce qu'on voit plus clairement ce qu'est cette condition.

S. B. – Ce n'est pas du tout la même chose pour moi avec *la Vieillesse*. Parce que rien ne vaut l'expérience vécue. Avoir écrit un livre théorique là-dessus ne m'aide ni ne me décourage. Ce travail théorique m'aidera peut-être à reconnaître certains traits chez les autres. Mais pas moi-même... Par exemple, il y a deux ans, j'ai eu une crise de rhumatismes, très très violente, elle m'a même obligée à rester au lit. Ensuite, je ne pouvais plus monter les escaliers aussi facilement. Mais je n'ai vraiment pas besoin d'avoir écrit un livre là-dessus pour le savoir.

A. S. – Un des grands problèmes de la vieillesse, c'est la pauvreté. A ce point de vue, vous êtes une privilégiée.

A. S. – Ça, certainement.

S. B. – Un autre problème des vieux vous est épargné : la solitude...

S. B. – C'est vrai. J'ai des amitiés, des rapports très chaleureux avec un certain nombre de personnes. Pas très nombreuses, parce que je ne tiens pas à en avoir beaucoup pour pouvoir justement me donner à ces relations. Et à moins que deux ou trois de mes meilleurs amis meurent ensemble, dans un accident d'avion par exemple, je sais qu'il y aura toujours quelqu'un auprès de moi. Non, jusqu'à la mort, je ne serai jamais seule.

A. S. – Pourtant, à vous qui êtes célibataire et sans enfants, on avait prédit une vieillesse solitaire.

S. B. – Oui. Encore une de ces nombreuses prophéties qui ne s'est pas réalisée...

A. S. – En plus de Sartre, il y a une autre personne qui joue un grand rôle dans votre vie. C'est Sylvie avec laquelle vous entretenez, depuis de nombreuses années, une relation d'amitié très étroite. Sylvie est-elle pour vous un succédané de fille?

S. B. – Absolument pas!

A. S. – Comment ça?

S. B. – Les rapports mère-fille sont généralement catastrophiques. La mère ne peut pas jouer à la fois le rôle d'une mère et celui d'une amie. Elle le voudrait pourtant. Mais, très vite, sa fille va la détester. Quitte ensuite à l'aimer de nouveau, mais d'une autre façon. Ceci, parce qu'on n'a pas envie de rester toute sa vie dans le même placenta. Les rapports mère-fille que je vois autour de moi sont tout au plus supportables, jamais passionnés, amoureux, tendres, comme j'estime que doivent être des relations.

A. S. – Et votre rapport avec Sylvie alors?

S. B. – C'est autre chose. Nous nous sommes connues alors que nous étions des adultes. Une entente très profonde est née. Sa jeunesse, en effet, me rajeunit, mais ce n'est pas du tout pour cela que nous sommes si amies. Ce n'était pas calculé du tout.

A. S. – Pensez-vous que la vieillesse soit plus difficile pour les femmes que pour les hommes?

S. B. – Non, je ne le pense pas, et je l'ai dit dans *la Vieillesse*. Être vieux est au contraire beaucoup plus difficile pour les hommes. Parce que nous, les femmes – enfin, je ne dis pas cela de moi qui suis à ce point de vue très privilégiée, mais des femmes en général – nous

ne tombons pas de bien haut. Nous avons toujours été
maintenues à un niveau inférieur.

Mais les hommes, qui se prennent pour de grands
personnages, qui croient avoir du pouvoir et des responsabilités, pour eux, quand ils deviennent vieux, c'est
terrible. C'est une véritable cassure. J'en ai parlé avec
des gérontologues qui m'ont dit voir venir des hommes
de 50 ans, complètement finis. Ils ne peuvent supporter
l'idée que leur fils de 25 ans va prendre leur pouvoir, et
ils sont entièrement brisés. Une femme, elle, peut plus
facilement se rattraper.

Ce n'est pas que j'aime le monde tel qu'il est fait
aujourd'hui pour les femmes, mais il leur laisse plus de
portes de sortie. C'est l'avantage que nous avons. Les
femmes, qui ont toujours été maintenues à l'écart et
n'ont jamais détenu le pouvoir, lorsqu'elles voient ces
hommes qui eux en avaient, devenir de petites marion-
nettes, elles prennent le pouvoir pour eux. Ce n'est pas
toujours sympathique, mais cela leur facilite les choses.
Et je le comprends très bien.

A. S. – C'est aussi parce que les hommes vivent en
permanence dans un climat de lutte, de rivalité. Alors
bien sûr, vieillir, perdre ses moyens, est pour eux doublement dangereux...

S. B. – C'est cela. Je n'aime pas beaucoup que les
femmes aient comme activité la vie d'intérieur, la cuisine
et les petits enfants. Mais c'est quand même une res-
source pratique et psychologique, qui leur permet de
survivre beaucoup mieux.

A. S. – Vous avez été, et même vous l'êtes de plus en plus, l'idole dans le monde entier de millions de femmes. Cela a-t-il eu des conséquences sur votre vie privée?

S. B. – Non. Sinon que je reçois beaucoup plus de courrier de féministes et de manuscrits qu'auparavant. Mais vous savez, cela s'accompagne de temps à autre de coups dans la figure qui me sont d'ailleurs complètement indifférents, comme : « Simone de Beauvoir, c'est le féminisme de grand-maman.» Cela me semble normal. Il faut toujours contester, repousser. D'ailleurs, il y a autre chose à faire maintenant que d'écrire *le Deuxième Sexe*. Cela dit, je pense que *le Deuxième Sexe* reste très valable comme fondement théorique et les féministes s'en servent ouvertement. Donc, je n'ai ni honte ni plaisir d'être une féministe professionnelle reconnue.

A. S. – D'ailleurs, vous et Sartre avez assez incité la jeunesse à la contestation.

S. B. – C'est vrai. Et donc, cela ne me gêne absolument pas. D'autre part, on ne se voit jamais soi-même comme une idole. Simone de Beauvoir, je le suis pour les autres, pas pour moi.

Paris, 1976

Un vote contre ce monde

A. S. – Nous avons voulu, nous les féministes, l'autonomie du mouvement des femmes. Cela ne devrait pas impliquer pour autant, à mon avis, une abstention des femmes dans les différentes sphères d'influence de la vie sociale. Qu'en pensez-vous?

S. B. – J'hésite... Certes, le pouvoir peut toujours servir à quelque chose. La question étant – à quoi? Une femme accédant au pouvoir devient généralement semblable aux hommes. Une sorte de femme-alibi, et de par sa fonction une alliée d'autant plus discrète et plus efficace des hommes. Comme, par exemple, Françoise Giroud, lorsqu'elle était, sous le gouvernement Giscard, secrétaire d'État à la Condition féminine.

A. S. – Nous avons fait les mêmes constatations, bien amères, en Allemagne. C'est pourquoi je me pose la question moins sur le plan des individus que sur celui des groupes. Un mouvement a peut-être plus de chances de devenir une force, sur le terrain politique, tout en maintenant sa spécificité. Par exemple, il peut exercer une pression de l'extérieur.

S. B. – Oui, mais il lui faut alors, contrairement aux femmes-alibi, refuser de suivre les règles du jeu des détenteurs du pouvoir.

A. S. – On a lancé en Allemagne Fédérale l'idée d'un parti des Femmes. Qu'en pensez-vous?

S. B. – C'est complètement absurde. D'une part, parce qu'il n'aurait aucune chance, simplement valeur de symbole. D'autre part, parce qu'être femme n'est pas en soi une condition suffisante. Une Présidente ferait, dans une large mesure, exactement la même chose qu'un Président dans la même situation. Sous le gouvernement de Mme Thatcher, par exemple, on n'a pas vu fleurir d'un seul coup la justice sociale... Il ne s'agit donc pas de vouloir le pouvoir pour lui-même et à n'importe quel prix.

A. S. – Toutefois, il semble important d'examiner de près cette idée d'un parti des Femmes, car il apparaît à beaucoup de femmes comme une voie intéressante...

S. B. – ...qui est à coup sûr une impasse. En outre, qu'est-ce que cela signifie : parti des Femmes? Nous n'avons tout de même pas l'intention de nous laisser enfermer, en matière politique, dans le ghetto de la problématique féminine. Nous voulons avoir voix au chapitre sur tout. Il n'y a pas que les problèmes des femmes. J'estime aussi qu'à vouloir simplement copier le système existant – à la seule différence qu'au lieu d'un parti dominé par les hommes on va avoir un parti où le pouvoir sera aux mains des femmes – on s'en tient trop aux règles du jeu en vigueur. Et ces règles du jeu sont toujours celles des détenteurs du pouvoir. Nous devons freiner la machinerie du pouvoir, au lieu d'en huiler les rouages. Nous devons lutter, dans tous les domaines, contre l'exploitation des femmes, et ne pas nous contenter de fonder un parti.

Prenons par exemple le travail ménager, ce travail économiquement invisible, pour lequel les femmes ne sont même pas rémunérées. Une révolte contre ce genre de travail, voilà qui serait formidable! Ou encore contre l'inégalité des salaires! En même temps, nous devons combattre l'identification des femmes au seul rôle de ménagère et de mère. Lutter pour que les femmes cessent de s'y sacrifier.

A. S. – Nous sommes en pleine période électorale – en France comme en Allemagne. Faut-il nous comporter, nous les féministes, de la même manière que ces dernières années – à savoir nous réveiller au dernier moment, quelques semaines avant d'aller aux urnes, et lancer en vitesse quelques actions plus ou moins bien menées, mais à coup sûr sans lendemain? Ne vaudrait-il pas mieux utiliser la situation pour sensibiliser l'opinion publique à un certain nombre de problèmes, faire sentir aux partis politiques que nous sommes une force non négligeable et, puisqu'ils ont besoin de nos voix, en profiter pour leur arracher quelques concessions?

S. B. – Pourquoi pas? Seulement, il ne faudrait pas se borner à interroger les partis et les candidats sur leurs intentions : ce serait précisément entrer dans leur jeu. Ces messieurs sont parfaitement capables, nous le savons d'expérience, de faire des promesses aujourd'hui et de les oublier demain. Autre chose : faut-il voter pour un parti pour l'unique raison qu'il vous promet quelque chose sur tel ou tel point? Ce genre de maquignonnage me répugne. Pas vous?

A. S. – Je m'interroge... Vous avez raison sur le principe. Mais il y a des moments, je crois, où, tactiquement, il ne serait pas maladroit de dire : c'est donnant donnant. Tout en stipulant nettement que cela ne signifie nullement donner à ce parti un chèque en blanc.

S. B. – Ça me paraît dangereux. D'un autre côté... Il m'est arrivé assez souvent, personnellement, d'agir de la sorte, de voter contre ma conviction profonde – simplement parce que j'espérais un brin d'amélioration. Aux dernières élections, par exemple, j'aurais préféré n'importe quoi à Giscard. Le Front Populaire par exemple. Mais, en même temps, j'ai une telle horreur du Parti communiste français, dont la sujétion à Moscou me révulse... Restent donc les socialistes, qui seraient peut-être le moindre mal. Il y a aussi, dans leurs rangs, quelques femmes qui défendraient probablement notre cause. Mais surtout les socialistes se sentiraient probablement obligés de prendre davantage en compte les intérêts des ouvriers et de tous les défavorisés. Là, à vrai dire, je ne parle pas en tant que féministe.

Nous les femmes, nous n'avons pas à espérer beaucoup plus de ceux-là que des autres. Je parle seulement au nom d'un certain humanisme...

A. S. – Chez nous aussi, il est beaucoup question du « moindre mal » à propos des soi-disant socialistes...

S. B. – Chez nous aussi ce ne sont que des soi-disant socialistes...

A.S. – Oui, mais ils le sont tout de même un peu plus que les sociaux-démocrates, souvent plus comparables aux centristes et à l'aile gauche du gaullisme qu'aux socialistes français... Mais, justement, nous nous laissons toujours piéger par ce genre de considérations humanitaires! Et c'est là-dessus que compte notre « moindre mal », le SPD! Ne trouvez-vous pas, vous aussi, ce semblant d'alternative – ici la passivité, là la résignation au « moindre mal » – extrêmement insatisfaisant?

S. B. – Certes. Seulement je ne vois pas très bien comment y échapper. Il faudrait développer une stratégie offensive pour rompre l'encerclement. Et en agissant de l'extérieur! Je ne vois pas d'autre moyen que le boycott des élections. Mais pour cela – pour que abstention ne devienne pas équivalent de démission – il faut un mouvement politique d'envergure.

Si on veut boycotter les élections, il ne faut pas le faire passivement, mais se montrer actif. Il faut dire pourquoi on remet en question ces partis et le principe parlementaire. Il ne faut pas rester tranquillement à la maison, mais aller aux urnes et mettre un bulletin blanc ou nul. C'est le seul moyen d'éviter le danger que le boycott des élections ne se transforme en boomerang qui, en fin de compte, ne profiterait qu'à la droite. Un boycott, justement, devrait être un vote tout à fait conscient : un vote contre ce monde tel qu'il est ! Un vote contre la politique qui incarne le système ! Un vote contre la totale méconnaissance des femmes et de leurs intérêts !

A. S. – Comment avez-vous, personnellement, concrètement, réglé la question ? Votre attitude à l'égard des partis n'a tout de même pas toujours été aussi critique ? Vous avez voté communiste au début des années 50, et avant la Seconde Guerre mondiale vous étiez, je crois, plutôt apolitique ?

S. B. – Le terme ne convient pas tout à fait. Avant la guerre, je n'avais pas d'activité politique, mais je m'y intéressais beaucoup. Sartre et moi avons été très heureux, en 1936, de la victoire du Front Populaire. Mais, quand il manifestait, nous étions spectateurs et non pas acteurs. Certes nous avions le cœur à gauche, et nous avons, par exemple, donné de l'argent pour les grévistes. Mais ça s'arrêtait là. Nous n'avions pas de tactique. Et en ce qui concerne les élections – moi, à cette époque, en tant que femme, je n'avais même pas le droit de vote (les Françaises ne l'ont eu qu'après la Seconde Guerre mondiale). Quant à Sartre, il ne votait pas, par principe. Les élections le dégoûtaient.

A. S. – Et après la guerre ?

S. B. – J'ai voté une fois communiste. Ensuite, je me suis engagée à fond dans un certain nombre de campagnes politiques précises : contre les guerres coloniales, la guerre d'Indochine, la guerre d'Algérie (qui ne fut jamais officiellement appelée de ce nom). Mais ce genre de lutte, précisément, ne pouvait pas s'exprimer par le bulletin de vote, car sur ces points décisifs nous étions trahis par tous les partis. Prenez l'Algérie – on était trahis par les socialistes aussi bien que par les communistes. Nous devions lutter contre la guerre d'Algérie de l'extérieur, dans la marginalité, dans la clandestinité. Et c'est ainsi, de l'extérieur, que doivent lutter les femmes si elles veulent vraiment, fondamentalement, changer les choses.

A. S. – Ce qui nous ramène à la question : comment y arriver?

S. B. – Exactement. Si la décision nous paraît si difficile à prendre, c'est peut-être aussi parce que, naturellement, on pourrait avancer un peu plus avec les socialistes à la barre au lieu de la droite.

A. S. – Ici les grands principes, là notre petite vie quotidienne...

S. B. – ...Et c'est précisément pourquoi, moi-même, j'hésite. Considérant, par exemple, que sous certains régimes les retraites et le salaire minimum seraient un peu augmentés, que les salariés et les syndicats auraient un peu plus de droits, etc. je préfère ce régime à un autre. Et ceci en dépit de réserves tout à fait fondamentales, et de ma critique de principe de la démocratie parlementaire, qui n'en est pas une – comme en témoigne notamment la quasi-totale absence de femmes au parlement et au gouvernement.

A. S. – On en revient au maquignonnage. Du reste, me semble-t-il, c'est déjà un progrès, pour beaucoup de femmes – et de citoyens en général – de se rendre compte que maquignonnage il y a. En d'autres termes, qu'il ne s'agit plus, enfin, de donner aux partis un chèque en blanc, mais de les surveiller de près. Ces dernières années, d'ailleurs, nous avons vu se dessiner ce genre de tendance, une certaine lassitude à l'égard des partis. Et là, il ne faut pas louper le coche : c'est le moment de trouver des formes de protestation efficaces, afin d'éviter la résignation et la manipulation. Et les dangers de manipulation sont grands! On le voit bien avec la « nouvelle féminité », qui entrave plutôt qu'elle ne promeut l'émancipation des femmes.

S. B. – C'est exactement mon avis. A l'heure actuelle, malheureusement, il faudrait parler de régression plutôt que de progrès. Ici, en France, c'est surtout dû au fait que le gouvernement est assez habile pour récupérer une partie des revendications des femmes. Ainsi, il y a maintenant des filles dans les Grandes Écoles – qui leur étaient interdites – et même une femme à l'Académie française. On nous donne l'illusion qu'une femme, aujourd'hui, peut réussir dans tous les domaines, et que c'est de sa faute si elle n'y arrive pas.

Tout cela va de pair avec la prétendue nouvelle féminité, avec la revalorisation du stéréotype féminin traditionnel : la femme plus proche de la nature, la femme et la maternité, la femme et sa corporéité (certains vont même jusqu'à dire : « Les femmes écrivent avec leur utérus »), etc. Clouer à nouveau les femmes à leur rôle traditionnel, tout en accédant – de manière bien dosée – à quelques-unes de leurs revendications, c'est le moyen qu'on a trouvé pour essayer de les faire tenir tranquilles. Une tactique malheureusement très efficace – on le voit d'après ses tristes résultats. Même des femmes qui se proclament féministes s'y laissent prendre. Une fois encore, les femmes redeviennent l'« Autre », le « deuxième sexe ».

A. S. – Les nouveaux Mouvements des Femmes pour la Paix me paraissent justement se mouvoir sur cet arrière-plan. Généralement avec les meilleures intentions, bien sûr. Tout être humain digne de ce nom n'est-il pas en faveur de la paix? Seulement, les femmes et la paix, c'est une vieille chanson, qui nous ramène à l'image de la douceur féminine.

S. B. – Pourquoi les femmes devraient-elles être davantage pour la paix que les hommes? Je veux dire, ça concerne autant les uns que les autres! Par ailleurs : qui peut, aujourd'hui croire encore sérieusement qu'on peut réellement faire quelque chose pour la paix avec des pétitions et des congrès? C'est du bla-bla-bla. Pour maintenir la paix – ou pour l'amener – il faut lutter pour elle. Et lutter précisément là où on décide de la guerre et de la paix! L'argument si prisé des femmes,

« Nous ne voulons plus fournir de chair à canon » les relègue encore une fois dans le rôle de mère. En tant que mères, nous devrions par conséquent être pour la paix. On retrouve une argumentation similaire chez les écolos.

Moi, cette équivalence écologie-féminisme m'irrite. Ce n'est pourtant pas automatiquement la même chose.

A. S. – C'est encore, du reste, un effet de la définition sexiste selon laquelle les femmes seraient plus proches de la nature que les hommes...

S. B. – Voilà. C'est avec ce genre de choses que l'on essaie de détourner les femmes de leur lutte pour l'émancipation, et de canaliser leurs énergies vers des champs d'action secondaires.

A. S. – Simone, que ferez-vous, personnellement, aux prochaines élections?

S.B. – Moi? Je m'abstiendrai [1].

Paris, 1980

---

1. Je ne l'ai pas fait. J'ai soutenu Mitterrand et voté pour lui. (Note de Simone de Beauvoir, 1983.)

Il ne suffit pas d'être femme

A. S. – Après *la Cérémonie des adieux,* vous préparez la publication des lettres de Sartre. Parlons donc de votre relation – une relation qui, pour plusieurs générations, a constitué, et constitue peut-être toujours, *le* modèle d'une relation sentimentale respectant la liberté de chacun. Plus de deux ans après la mort de Sartre, que nous apprendra de nouveau cette correspondance? Sur lui, sur vous deux?

S. B. – Que c'était une relation très tendre, et en même temps très gaie. Pleine de confiance aussi, autant sur le plan intellectuel que sentimental. Je pense, par exemple, aux lettres que Sartre m'a écrites pendant la guerre, lorsqu'il était prisonnier (la chance a voulu que ce soit dans des conditions très convenables – il avait même un bureau) : il avait rédigé un prologue à *l'Age de raison.* Il lui tenait à cœur, et pourtant, après ma critique, il l'a purement et simplement déchiré. Bref, on voit dans ces lettres l'influence que j'exerçais sur lui en tant que critique. C'était d'ailleurs réciproque. L'inspiration était, pour chacun de nous, sa chose personnelle. Mais ensuite, au stade de l'élaboration, chacun était extrêmement réceptif à la critique de l'autre. On y voit aussi sa totale confiance en moi au plan de sa vie sentimentale : il me racontait tout, même les détails...

A. S. – ... Cela ne vous a pas fait mal?

S. B. – Non. Parce que nous avions une confiance complète l'un en l'autre. Chacun savait que, quoi qu'il arrive, l'autre était le plus important dans sa vie.

A. S. – Vous n'en avez jamais douté?

S. B. – Si. Une fois. Je l'ai raconté dans mes *Mémoires*. Une minute j'ai hésité, parce que l'autre, je ne la connaissais pas... C'était Dolorès – je l'appelle M. dans mes *Mémoires* – dans les années 44-45, en Amérique. L'époque du grand défoulement d'après-guerre. Il parlait d'elle avec tant d'amitié et d'estime que je me suis demandé un moment : ne lui serait-elle pas plus proche que moi? Je lui ai posé la question. Et il m'a répondu : c'est avec vous que je suis!

A. S. – Cette place privilégiée n'a jamais été mise en question, ni par l'un ni par l'autre?

S. B. – Non, jamais. Peut-être parce que Sartre était très orgueilleux, pensant que jamais un homme ne serait pour lui un rival sérieux...

A. S. – On comprend, à la lecture de *la Cérémonie des adieux,* que Sartre ne tenait pas beaucoup à l'acte sexuel. Je suppose, par conséquent, que votre relation n'a jamais été basée en priorité sur la sexualité. Était-ce une chance? Éliminant, tout au moins, la jalousie physique? Et la douloureuse réorientation, sitôt que l'attirance sexuelle diminue?

S. B. – Peut-être... Il faut ajouter qu'il n'y avait pas non plus de jalousie intellectuelle : nous étions bien trop orgueilleux, l'un et l'autre, pour craindre la concurrence d'autrui. Effectivement, l'acte sexuel proprement dit n'intéressait pas particulièrement Sartre. Mais il aimait caresser. Pour moi, les relations sexuelles avec Sartre ont énormément compté les deux-trois premières années – c'est avec lui que j'ai découvert la sexualité. Après, ça a perdu de son importance, dans la mesure où, pour Sartre, ça n'en avait pas tellement non plus. Encore que nous ayons continué à avoir des rapports sexuels assez longtemps, pendant quinze ou vingt ans. Mais ce n'était pas la chose essentielle...

A. S. – L'essentiel, c'était, je pense, votre relation intellectuelle. On vous a souvent désignée comme « la grande Sartreuse », la « première disciple de Sartre » : que pensez-vous de cette interprétation?

S. B. – Je pense que c'est faux. Archi-faux! Certes, en philosophie, il était créateur et moi pas – mais il y a tellement d'hommes qui ne le sont pas non plus! Je reconnaissais sa supériorité en ce domaine. Donc, en ce qui concerne la philosophie, j'étais en effet disciple de Sartre, puisque j'ai adhéré à l'existentialisme. Nous en avons discuté d'ailleurs. Nous avons beaucoup discuté sur *l'Être et le Néant :* je m'opposais à certaines de ses idées, et quelquefois ça lui a fait changer un peu sa route.

A. S. – Par exemple?

S. B. – Dans une première version de *l'Être et le Néant,* il parlait de la liberté comme si elle était quasi totale chez tout le monde. Ou, du moins, qu'il était toujours possible d'exercer sa liberté. Moi, au contraire, j'insistais sur le fait qu'il existe des situations où la liberté ne peut s'exercer ou n'est qu'une mystification. Il en a convenu. Et, par la suite, il a donné beaucoup de poids à la situation où se trouve placé l'être humain.

A. S. – C'était en 1941-1942 – donc avant votre rencontre avec le marxisme...?

S. B. – Oui.

A. S. – Et vous, que faisiez-vous en ce temps-là?

S. B. – Je ne dépendais pas de Sartre, dans la mesure où j'écrivais mes propres livres, mes propres romans. Moi, j'avais misé sur la littérature. Même *le Deuxième Sexe,* qui a un arrière-fond philosophique – l'existentialisme sartrien – est une création totale : il reflète *ma* vision des femmes. C'est ainsi que *moi* je l'ai ressentie.

A. S. – Comment se fait-il que même avec quelqu'un comme Sartre – intellectuellement comme humainement très séduisant – vous n'êtes pas tombée dans le piège de vouloir être « sa femme »? Une créature relative se contentant de figurer à ses côtés? Quels ont été les facteurs déterminants vous ayant conduite à mener une existence autonome?

S. B. – L'empreinte laissée par les premières années de ma vie. J'ai toujours voulu avoir un métier à moi. J'avais envie d'écrire bien avant de connaître Sartre. Et j'avais des rêves – pas des fantasmes, des rêves, des désirs, même des voluptés – bien définis, longtemps avant de le rencontrer. Par conséquent, pour être heureuse, je me devais d'accomplir ma vie. Et l'accomplissement, pour moi, passait en premier lieu par le travail.

A. S. – Et quelle fut l'attitude de Sartre?

S. B. – Il a été le premier à m'y pousser. Après mon agrégation – j'avais beaucoup travaillé – j'avais envie de me laisser un peu aller. Au bonheur, à l'amour de Sartre... C'est lui qui m'a dit : Mais enfin, Castor, pourquoi ne pensez-vous plus? Pourquoi ne travaillez-vous plus? Vous vouliez écrire! Vous n'avez tout de même pas envie de devenir une femme d'intérieur, non...? Il a beaucoup insisté pour que je conserve mon autonomie. En particulier, justement, grâce au travail littéraire.

A. S. – S'il ne vous avait pas rencontrée, Sartre se serait probablement retrouvé dans une structure conjugale bien classique...

S. B. – Un Sartre marié? Il se serait embêté ferme, c'est sûr. Mais c'est exact, il aurait été très facile de le piéger. La mauvaise conscience... Mais il s'en délivrait vite.

A. S. – Et vous, la mauvaise conscience – avez-vous connu ce sentiment de culpabilité si répandu chez les femmes?

S. B. – Non, je n'ai jamais eu mauvaise conscience en ce sens. De temps en temps des remords, quand j'ai rompu brutalement des amitiés. Ça, je n'en étais pas tellement fière. Mais, dans l'ensemble, j'ai bonne conscience – c'est parfois presque de l'inconscience, je crois.

A. S. – En général, me semble-t-il, vous êtes quelqu'un qui ne se creuse pas trop la tête sur soi-même.

S. B. – C'est vrai. Je n'applique pas trop mes analyses à ma propre personne. C'est une démarche qui m'est étrangère.

A. S. – Jean Genêt a dit un jour, en parlant de votre couple, que c'est vous l'homme, et Sartre la femme. Qu'entendait-il par là?

S. B. – Il voulait dire qu'à son avis Sartre avait une sensibilité plus riche que la mienne – une sensibilité qu'on pourrait donc qualifier de « féminine ». Tandis que moi j'avais, selon lui, des manières plus abruptes. Mais cette réflexion de Genêt tient beaucoup, aussi, à ses rapports avec les femmes : il ne les aime pas tellement...

A. S. – Mais c'est un peu vrai que vous avez un côté « chameau » – vous le reconnaissez vous-même. Et cette énergie, cette acuité intellectuelle, ces façons glaciales

dès que vous n'aimez pas quelqu'un ou quelque chose...
Vous êtes une personne très absolue.

S. B. – Oui, c'est vrai.

A. S. – Je connais nombre de cas où, lorsqu'une femme
s'arroge ainsi le droit de faire montre de son intelligence,
de sa fermeté de caractère, on l'en pénalise. Réaction
de l'entourage : Tu vaux un homme? alors tu n'es pas
désirable en tant que femme! Vous avez vécu ça?

S. B. – Non.

A. S. – Vous n'avez donc jamais été tentée de compen-
ser vos traits « masculins » en jouant à « la petite
femme »?...

S. B. – Oh non, jamais! Je travaillais, et puis j'avais
Sartre. Si les choses devaient arriver, elles arrivaient –
mais je ne leur courais pas après. Lorsque, en Amérique,
j'ai eu un coup de cœur pour Algren – le dépaysement,
et puis son charme, toutes ses qualités – je n'ai pas eu
à feindre d'être autre que je ne suis. Il avait eu aussi
un coup de cœur pour moi.

A. S. – Le désir, pour vous, a-t-il toujours été lié aux
sentiments?

S. B. – Oui, je crois. Du reste, je ne désirais pas un
homme qui ne me désirait pas. C'était plutôt le désir de
l'autre qui m'entraînait.

A. S. – Prudence...

S. B. – Oui. J'ai peut-être eu parfois des fantasmes. Mais, pour ce qui est de la réalité, aucun homme ne m'a touchée si nous n'étions pas déjà liés par une grande amitié.

A. S. – Pas de « sexualité anonyme »? De désir purement physique, satisfait avec n'importe qui?

S. B. – Oh non, ça jamais! C'est aussi éloigné de moi que possible. C'est peut-être du puritanisme, le résultat de mon éducation, mais ça n'est jamais, jamais arrivé. Même dans les périodes où je n'avais pas d'aventure, donc pas de vie sexuelle pendant quelque temps. Il ne m'est jamais venu à l'idée d'aller chercher un homme.

A. S. – C'est « féminin », cette réserve?

S. B. – Je ne sais pas.

A. S. – Lorsque vous évoquez votre sexualité, il n'est question que d'hommes. Vous n'avez jamais eu de relations amoureuses avec une femme?

S. B. – Non, jamais. J'ai toujours eu de très grandes amitiés avec des femmes. Très tendres, parfois même avec une tendresse caressante. Mais ça n'a jamais éveillé en moi de passion érotique.

A. S. – Et pourquoi pas?

S. B. – Sans doute un conditionnement de mon éducation. J'entends toute mon éducation – non seulement celle reçue à la maison, mais aussi toutes les lectures, les influences qui m'ont marquée dans mon enfance. Elles m'ont poussée vers l'hétérosexualité.

A. S. – Mais, théoriquement, l'homosexualité vous paraît une idée acceptable? Même pour vous?

S. B. – Totalement. Totalement acceptable. Les femmes ne devraient plus être conditionnées uniquement pour le désir de l'homme. D'autant plus que, à mon avis, toute femme, aujourd'hui, est déjà un peu... un peu homosexuelle. Tout simplement parce que les femmes sont plus désirables que les hommes.

A. S. – Comment cela?

S. B. – Elles sont plus jolies, plus douces, leur peau est plus agréable. D'une manière générale elles ont plus de charme. Il est très fréquent, dans un couple ordinaire, que la femme soit plus agréable, même intellectuellement. Plus vive, plus attirante, plus amusante.

A. S. – Ce n'est pas un peu sexiste, ce que vous dites là?

S. B. – Non. Parce que cela aussi est dû au conditionnement différent des sexes, à leurs réalités différentes. Les hommes, aujourd'hui, ont souvent ce côté un peu grotesque dont Sartre se plaignait aussi : cette façon de fanfaronner en développant de grandes théories, ce manque de plasticité, de vivacité.

A. S. – Exact. Mais les femmes ont leurs défauts aussi. Et, ces derniers temps, elles recommencent même à en être fières. Nous assistons aujourd'hui, en Allemagne – ailleurs aussi, du reste – à une renaissance de la « féminité ». La prétendue « nouvelle féminité » (qui, en réalité, n'est autre que l'ancienne) avec le retour au stéréotype et au « rôle féminin » traditionnel : éloge de l'affectivité au lieu de l'intelligence, du caractère pacifique « naturel » au lieu de la volonté de lutter, mythification de la maternité présentée comme un acte créateur en soi, etc. Vous qui avez écrit dans *le Deuxième Sexe :* « On ne naît pas femme, on le devient », comment réagissez-vous face à ce retour de certaines femmes vers une « nature féminine » ?

S. B. – Je pense que c'est remettre les femmes en esclavage ! La maternité reste toujours la meilleure manière de réduire les femmes en esclavage. Je ne veux pas dire que toute femme qui est mère se transforme automatiquement en esclave : il peut exister des conditions de vie où la maternité n'est pas un esclavage. Mais dans l'ensemble, aujourd'hui, il en est tout de même ainsi. Aussi longtemps que l'on considère que la tâche principale de la femme est de faire des enfants, elle ne s'occupera pas de politique, de technologie – et elle ne disputera pas aux hommes leur suprématie. Relancer la mystique de la maternité, « l'éternel féminin », c'est essayer de faire rétrograder la femme à son niveau d'antan.

A. S. – Et c'est bien commode en période de crise économique mondiale.

S. B. – Exactement. Comme on ne peut pas dire aux femmes que c'est une tâche sacrée de récurer les casseroles, on leur dit : c'est une tâche sacrée d'élever un enfant. Mais, dans le monde d'aujourd'hui, élever des enfants n'est pas sans relation avec le récurage des casseroles : ça oblige la femme à rester à la maison. C'est une manière de la faire régresser en position d'être relatif, de seconde zone.

A. S. – Le féminisme aurait donc en partie échoué?

S. B. – Je pense qu'en fait le féminisme n'a, jusqu'à présent, véritablement atteint en profondeur qu'un nombre restreint de femmes. Certaines actions en ont atteint beaucoup : par exemple la lutte pour le droit à l'avortement. Mais aujourd'hui, le féminisme représente, aux yeux de beaucoup de gens, un certain danger – à cause du chômage et de la mise en question des privilèges masculins. Alors, on fait resurgir le stéréotype demeuré vivace, en profondeur, chez la majorité des femmes : elles sont, pour la plupart, restées des femmes-femmes... On redonne à la féminité une certaine valeur idéologique, et on s'appuie là-dessus pour tenter de reconstituer l'image – ébranlée par le féminisme – de la « femme normale », relative, soumise, etc. Une image qui suscite bien des nostalgies, et qu'on s'efforce de faire revivre.

A. S. – Question à l'existentialiste et la marxiste : qu'en est-il, dans les circonstances actuelles, de la liberté des femmes? Où peuvent-elles agir, et quelles sont les limites auxquelles nous ne pourrons manquer de nous heurter? Quelle est la voie, la stratégie pour sortir du cercle infernal de la « féminité »? Nous, les féministes, avons-nous commis des erreurs?

S. B. – Difficile à dire. C'est déjà bien d'avoir fait quelque chose. Et les circonstances sont loin d'être favorables... Mais c'est vrai, il y a eu très tôt dans le mouvement des choses qui n'étaient pas très bonnes. Par exemple le rejet, chez certaines femmes, de tout ce qui venait des hommes. Leur volonté de ne rien faire « comme les hommes » : refus de s'organiser, de travailler, de créer, d'agir. J'ai toujours pensé qu'il faut prendre les instruments des mains des hommes et s'en servir. Je sais que les féministes sont très divisées sur la marche à suivre. Les femmes doivent-elles occuper de plus en plus de postes, entrer en compétition avec les hommes ? Cela implique sans doute d'acquérir certains de leurs défauts en même temps que de leurs qualités. Ou bien faut-il, au contraire, refuser complètement cette démarche ? Dans le premier cas, elles accèdent à plus de pouvoir. Dans le second, elles se réduisent à l'impuissance. Bien sûr, si c'est pour prendre le pouvoir et l'exercer de la même façon que les hommes... ce n'est pas ainsi qu'on changera la société. Or, à mon avis, le véritable projet des féministes ne peut être que de changer la société et la place de la femme dans la société.

A. S. – Vous-même vous avez choisi la première voie : vous avez écrit et créé « comme un homme ». Et, en même temps, vous avez essayé de changer le monde.

S. B. – Oui. Et cette double stratégie me paraît la seule voie. Il ne faut pas refuser de prendre les qualités dites masculines ! Il faut courir le risque de se mêler au monde des hommes – qui est, dans une large mesure, le monde tout court. Bien sûr, emprunter ce chemin, cela signifie aussi pour une femme risquer de trahir les autres femmes, de trahir le féminisme. Elle croit s'être évadée... Mais l'autre voie, c'est le danger d'étouffement dans la « féminité ».

A. S. – Sur l'une comme sur l'autre voie, beaucoup de femmes ont connu le rejet et l'humiliation.

S. B. – Ma chance à moi, c'est de n'avoir jamais été humiliée. Je n'ai pas souffert du fait d'être femme. Encore que – je l'ai déjà écrit dans la préface du *Deuxième Sexe* – ça m'agace beaucoup de m'entendre répéter : « Vous pensez cela parce que vous êtes une femme. » J'ai toujours répondu : « C'est ridicule; pensez-vous cela parce que vous êtes un homme? »

A. S. – A propos de littérature. Il existe actuellement une controverse parmi les féministes : faut-il encourager la quantité ou la qualité? C'est-à-dire : faut-il se montrer aussi sévère, aussi critique envers les femmes qu'envers les hommes? Ou devons-nous, au contraire, nous réjouir du simple fait qu'elles écrivent?

S. B. – Je pense qu'il faut savoir dire non. Même aux femmes. Non, ça ne va pas! Écrivez autre chose, essayez de vous améliorer! Soyez plus exigeantes envers vous-mêmes! Il ne suffit pas d'être femme. Je reçois beaucoup de manuscrits de femmes qui écrivent dans l'espoir d'être publiées. Ce sont des femmes au foyer de 40 ou 50 ans, sans profession, les enfants ont quitté la maison, elles ont du temps... Beaucoup de femmes se mettent à écrire à ce moment-là. Généralement un récit autobiographique, avec, presque toujours, une enfance malheureuse. Et elles croient que c'est intéressant... Exprimer les choses par écrit peut jouer un rôle important pour l'hygiène mentale, mais ça ne signifie pas qu'on doit obligatoirement être publié. Non, je crois que les femmes doivent devenir très exigeantes envers elles-mêmes.

A. S. – L'existence du Mouvement des Femmes a-t-il changé quelque chose pour vous personnellement?

S. B. – Ça m'a rendue plus sensible à des détails, à ce sexisme quotidien qui passe presque inaperçu tant il paraît « normal ». Une équipe de féministes parisiennes rédigent, depuis pas mal d'années, pour *les Temps Modernes,* des textes sur ce « sexisme ordinaire » que moi je n'avais pas ressenti auparavant.

A. S. – Avant l'existence du Mouvement, vous disiez « elles » en parlant des femmes. Maintenant vous dites « nous ».

S. B. – Pour moi, cela ne signifie pas « nous les femmes », mais « nous les féministes ».

A. S. – Le mot « féminisme » est devenu une monnaie bien inflationniste. Par exemple, en Allemagne fédérale, le puissant mouvement pacifiste compte un certain nombre de femmes qui se réclament du féminisme : en tant que « mères qui veulent sauver le monde de demain pour leurs enfants », en tant que « femmes, porteuses de vie », ou encore en tant que « femmes, par nature plus paci-

fiques que les hommes » qui, eux, seraient prétendument
« destructeurs » par nature...

S. B. – C'est absurde! Absurde, parce que les femmes
doivent lutter pour la paix en tant qu'êtres humains et
non en tant que femmes. Ce type d'argument est complètement insensé : après tout, si les femmes sont des mères,
les hommes sont aussi des pères. En outre, les femmes
se sont trop cramponnées jusqu'au présent à leur rôle
procréateur, « maternel » : c'est encore tomber dans la
mystification du rôle féminin. Ce n'est pas ça qu'il faut
mettre en avant. Les femmes pacifistes, comme les
hommes, peuvent dire non au sacrifice des jeunes générations, mais pas parce qu'elles sont personnellement
femmes ou mères. Bref, elles devraient absolument laisser tomber cet attirail. Même si – et précisément parce
que – on les encourage à rejoindre les mouvements
pacifistes au nom de leur féminité ou de leur maternité.
C'est tout simplement une ruse des hommes pour les
ramener une fois de plus à leurs entrailles! D'ailleurs,
les femmes au pouvoir ne se conduisent pas autrement
que les hommes. On le voit bien avec Indira Gandhi,
Golda Meir, Mme Thatcher, etc. Elles ne se transforment
pas tout soudain en ange de miséricorde, ni de la paix.

A. S. – Depuis la fin de la Seconde Guerre mondiale,
vous avez été, vous et Sartre, des intellectuels engagés,
vous avez milité avec passion – par vos écrits et par vos
actes – pour plus de justice et de liberté dans le monde.
Vous aviez placé certains espoirs dans la révolution, en
U.R.S.S., en Chine, à Cuba – et vous avez éprouvé des

déceptions. Les crimes commis au nom de la France pendant la guerre d'Algérie vous ont affectée personnellement, vous le racontez dans vos *Mémoires*. Vous luttiez publiquement, et très courageusement, pour la décolonisation, et vous avez pleuré des nuits entières « de honte d'être Française ». Et aujourd'hui? Que pensez-vous de l'évolution politique dans le monde en général et en France en particulier? Avez-vous voté Mitterrand?

S. B. – Oui. Parce que cela a quand même apporté un peu plus de justice. Plus d'impôts pour les riches, et de meilleures retraites pour les pauvres. Au point de vue féministe également, il y a un certain progrès. Yvette Roudy est un ministre qui a un budget. Elle accorde beaucoup de crédits aux femmes et spécialement aux féministes qui ont pu fonder des centres de recherche ou des journaux. Elle a fait une campagne pour la contraception, et agit pour que la loi Veil sur l'interruption volontaire de grossesse soit vraiment appliquée. Il est même question que l'avortement soit remboursé par la Sécurité Sociale. Pour le reste... honnêtement, je ne m'attendais pas non plus à des miracles. Personne n'en fait, surtout dans la crise économique actuelle... Ce gouvernement socialiste doit se montrer très modéré et très prudent. Il ne peut en être autrement, car sinon il faudrait envisager une révolution. Et cela, il n'en est pas question actuellement. Je ne souhaite pas, moi non plus – pour le moment en tout cas – une révolution violente, sanglante. Le prix en serait trop élevé. Il ne s'agit donc pas de changer de fond en comble l'ordre du monde.

Mais simplement, en France, d'améliorer un peu la société telle qu'elle est.

A. S. – Nous avons, dans cet entretien, tellement parlé des hommes que, pour conclure, j'aimerais évoquer la femme entrée voici plus de dix ans dans votre vie et aujourd'hui, après la mort de Sartre, sans doute la personne qui vous est la plus chère. Je veux dire Sylvie Le Bon, 39 ans, professeur de philosophie. C'est rare, les grandes amitiés entre femmes...

S. B. – Je n'en suis pas si sûre. Il y a bien des amitiés de femmes qui durent, alors que les amours passent... C'est plutôt entre hommes, je crois, que les véritables amitiés sont extrêmement rares. Les femmes entre elles se disent bien plus de choses.

Paris, septembre 1982

TABLE

CET OUVRAGE
A ÉTÉ COMPOSÉ
ET ACHEVÉ D'IMPRIMER
PAR L'IMPRIMERIE FLOCH
A MAYENNE LE 23 DÉCEMBRE 1983

N° d'impression : 21453.
Dépôt légal : janvier 1984.

7005